秋田の火山学者・
林信太郎先生が語る

地球の不思議

林信太郎

秋田魁新報社

もくじ

① すごいよ！マグマ篇

② 火山(かざん)どっかーん!篇(へん)

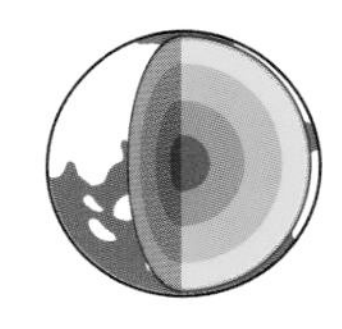

1
すごいよ！
マグマ篇（へん）

マグマと溶岩って、なに？

寒い夜空の下、僕は温かい岩の上に腰掛け、体を温めていた。その岩は、数日前には1000度もあるドロドロに流れる溶岩だった。冷えてしまって表面は温かいだけだが、まだまだ中はかなりの熱さらしい。気温が10度くらいのこの場所では、この岩の温かさはとても気持ちがいいのだ。

1986年8月。ここはアフリカ、コンゴ民主共和国のニアムラギラ火山。僕は三脚にカメラをセットして噴火の写真を撮っていた。100メートルほど先には小さな熱い溶岩の池があり、そこからすごい量の溶岩があふれ出している。そして時折、池の中に大きな泡ができたと思うと破裂し、真っ赤なしぶきのようになって飛び散る。まるで花火のようである。僕はおやつのチーズをかじりながらカメラのシャッターを押していた。もちろん、そのしぶきのような溶岩は僕の所までは飛んで来ない。せいぜい20メートルほどしか飛ばないからだ。ニアムラギラ火山は、ほとんど毎年噴火する世界的に有名な活火山だ。噴火地点は高さ2000メートルを超える。赤道に近い所にあるのに、かなり寒い。

ところで、皆さんは溶岩とマグマの違いを知っているかな？　マグマも溶岩もドロドロに溶けた高温の岩石だが、地下にある間はマグマと呼ばれ、火口から噴き出してくると溶岩と言われるようになる。だから、僕の見た熱い溶岩は地下から出てきたばかりで、ほとんどマグマそのものと言っていいようなものだったのだ。

マグマの特徴は三つ。第一に熱い。1000度くらいある。第二にドロドロとして粘っこく流れる。第三に、マグマは固まると岩になる。僕のように噴火を調べに行くと、この三つのことがとてもよく分かる。

数日後のこと、絶対に安全だと思っていたキャンプ地の上を火山弾が飛び越えて行くのが見えたこともある。やはり、噴火の研究は少し危険なのである。

それでも、噴火の研究は楽しい。それをぜひ皆さんにも知ってほしいと思う。この本では、「マグマ」にまつわるいろいろなお話をさせてもらうよ。

【左ページ】
真っ赤な溶岩をしぶきのように噴き上げるニアムラギラ火山
【右】
火山のすぐそばに張られた林先生のテント
(2枚とも林先生撮影)

イタリア
じっくり観察、ストロンボリ式の噴火

「ドーン」と音がして、赤く光る火山弾が噴き出し、四方八方に飛び散っていく。その様子は花火とそっくりだが、もっと迫力がある。何しろ本物のマグマの爆発なのである。爆発はあっという間に終わり、また次の爆発まで長い待ち時間が始まる。爆発は1時間に1度か2度しか起こらないのだ。

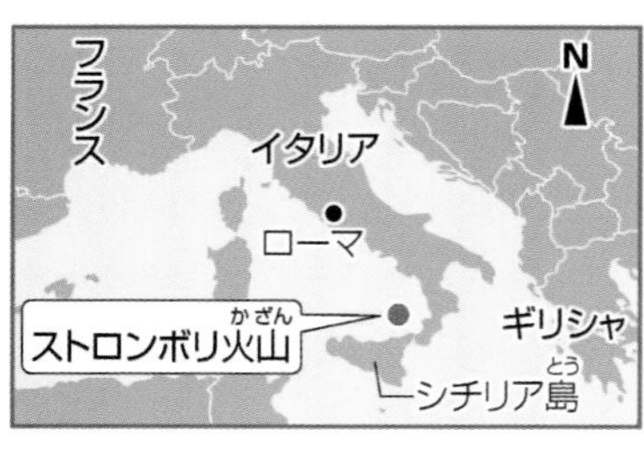

火口からマグマのしぶきが噴き出すストロンボリ火山＝1998年、イタリア（林先生撮影）

でも僕は火口から目が離せない。いつ次の爆発が起きるか全く分からないのである。じっと火口の方を見つめながら、待って、待って、待ってさらに待ってやっと次の爆発を見ることができる。僕たちは爆発が起きるたびにうれしさのあまり大きな声を上げていた。とにかくすごい迫力なのである。

ここは地中海の火山島、ストロンボリ火山（イタリア）である。1998年、同じイタリアのナポリで行われる国際学会があったので、火山研究者で火山写真家の白尾元理さんとこの有名な火山にやってきた。3日間の滞在中、2回もストロンボリ火山に登った。昼は暑いので夕方宿を出発し、4時間ほどかけて山頂に到着。夜中まで噴火を見学して、宿に帰るのは午前3時くらい。

ホテルの方がローストビーフやワインを用意してくれていた。

僕たちがこの噴火を見ていたのは、火口からわずか300メートルの地点である。大抵の火山では、こんなに近くから噴火を見ていると命を失ってしまう可能性がある。しかし、ストロンボリ火山の噴火は大変穏やかで安全なのだ（**注1**）。

このように、マグマ（**注2**）のしぶきが時々火口の周りに飛び散る噴火は「ストロンボリ式噴火」と呼ばれている。また、マグマのしぶきはすぐに固まって岩になり、火山弾やスコリア（黒い軽石）になる。

注1　穏やかな噴火とはいえ、絶対安全というわけではなく、まれに死者がでている。ストロンボリ火山はガイド付きの登山がおすすめだ。

注2　マグマはどろどろに溶けた石だ。地下にある間はマグマと呼び、地面から上に出てきた時は溶岩と呼ばれるので、正確には「溶岩」。

秋田駒ケ岳　54年前に噴火！　見物客も……

同じような噴火が、実は1970年に秋田駒ケ岳で発生している。この時の噴火は見に行った人が多いので、みなさんのおじいさんやおばあさんは見たかもしれないね。

噴火は1970年の9月に始まった。秋田駒ケ岳の女岳という小さな山の頂上近くで噴火が起こり、ストロンボリ式噴火を起こし、溶岩流も流れた。3分から5分の間隔で真っ赤な火山弾を噴き出した。500メートルもの上空まで火山弾が飛ぶこともあったそうだ。噴火は1971年まで続いたらしい。

溶岩も流れ出している。9月19日には加納博秋田大学教授（当時）により、長さ130〜140メートルほどの溶岩が確認されている。その後も何度も溶岩が流れ出し、最終的には530メートルの長さになった。今でも、女岳では黒々とした溶岩を観察できる。

1970年の秋田駒ケ岳の噴火は見物できるくらい穏やかなものだった。近

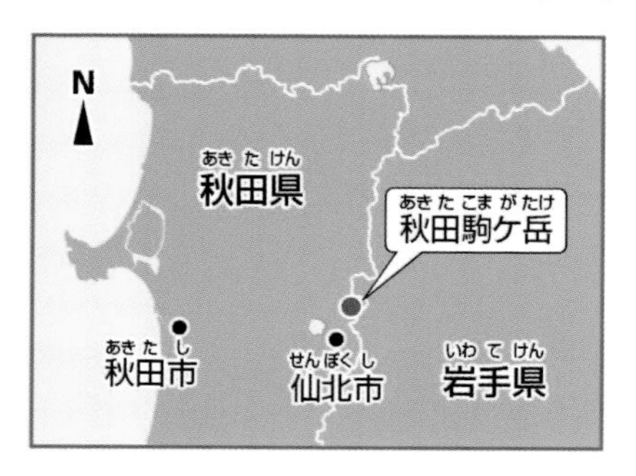

噴火し、噴煙を上げる秋田駒ケ岳＝1970年9月19日付秋田魁新報夕刊より

くの国道に屋台が出たりして、まるで花火大会のようなにぎわいだったそうだ。ただし、次の噴火もそうとは限らない。秋田駒ケ岳の過去の噴火を調べてみると、もっと激しい噴火が多かったことが分かっている。そこから考えると、次の噴火は1970年の噴火よりも激しく危険かもしれない。

夏になったら、ぜひ秋田駒ケ岳に登ってみてほしい。男岳からは1970年の溶岩がよく見える。そして登山をするときは、突然の噴火に備えてヘルメットをかぶって行こう。登山バスが出発する「アルパこまくさ」には貸し出し用のヘルメットが置いてあるよ。

熱水が起こす大爆発

2018年1月23日、草津白根山の本白根山（群馬県、2171メートル）が突然噴火した。この噴火によって1人が亡くなり、多数の人が負傷した。たくさんの岩が飛び散り、火山灰が噴き出したのである。

この噴火は「水蒸気噴火」という種類の噴火とみられている。

水蒸気噴火は「爆発」だ。爆発を起こすのは、火山の地下にある「水」である。水といっても、とても熱い。マグマの熱で煮立った百数十度もある地下水なのだ。

やかんに水を入れてガスコンロにかけると、水はやがてお湯になる。ただし、どんなにグラグラ煮立っても水の温度は100度を超えない。しかし水蒸気噴火を起こす地下水は、100度を超えている。

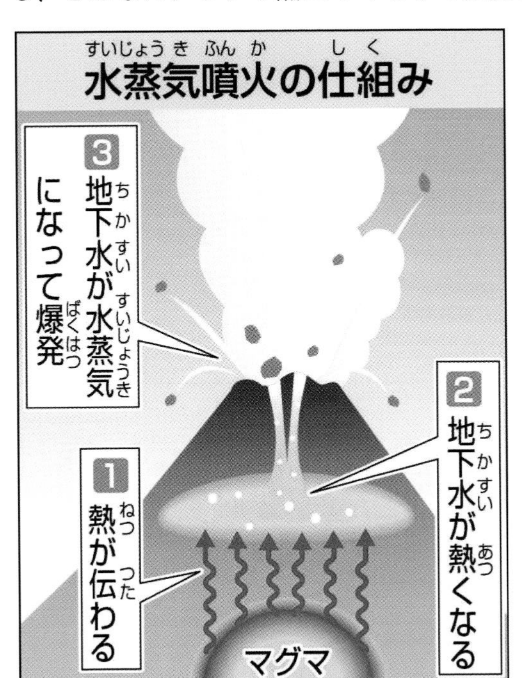

水蒸気噴火の仕組み
3 地下水が水蒸気になって爆発
2 地下水が熱くなる
1 熱が伝わる
マグマ

なぜ、こんなに熱くなるのか。それは、火山の地下水には上から「重いふた」がしてあるからだ。「ふた」の役目を果たしているのは地面。この「ふた」がしっかりと閉まっている間は、地下水はマグマの熱でどんどん熱くなる。「圧力鍋」と同じような仕組みだ。しかし「ふた」である地面に割れ目ができたりすると、地下水はドカンと爆発する。とても危険なものなのだ。

この水蒸気噴火は、実はポップコーンがはじけるところとよく似ている。台所で「ポップコーンのもと」を熱していくと、あるところで突然、殻が破ける。その瞬間、ポップコーンの中の熱い水分（といっても1グラムの50分の1くらいの量）が「水蒸気」になるのだ。そして「パチン」と音がして、ポップコーンが出来上がる。この「パチン」を巨大化したもの（とてもおおまかにいうと10億倍）が、水蒸気噴火の爆発に当たる。

こうした爆発が起きると、周りの岩は勢いよく吹き飛ばされる。草津白根山の場合は、恐らくプロ野球のピッチャーが投げるボールよりも速いスピードで岩が飛んで来た。できるだけ遠くに逃げるか、岩の陰や建物に隠れるしか助かる方法はない。

また、2014年の御嶽山の同じ種類の爆発の被害はもっとひどく、63名の方がなくなったり、行方不明になったりしている。

秋田県の火山でも、今回のような水蒸気噴火が突然起きる可能性はある。ただし、その可能性はそれほど高くない。だいたい100万回火山に登ったとして、そのうち1回くらい水蒸気噴火に遭う——というほどの小さな可能性なのである。火山は僕の仕事場でもあるので、用心しながら、でも怖がり過ぎずにこれからも登り続けたいと思う。

2014年の御嶽山噴火で飛んできた岩の一つ（林先生撮影）

目潟で見る地球の中身

一ノ目潟（男鹿市）

一ノ目潟は男鹿半島にある小さな湖だ。森に囲まれた深いくぼ地の中に、ほとんど波が立たない静かな湖が見える。一ノ目潟の近くには、二ノ目潟と三ノ目潟がある。どれもフクロウの目のような形をしたまん丸な湖である（**注1**）。

実はこの三つの目潟、ただの湖ではなく、火山なのである。大爆発によってできた火口に、水がたまって目潟となった。どうやって目潟ができたのか詳しくお話ししよう。

ずっと昔、目潟がある場所の近くにマグマがやってきた。地下数十キロもの深い所から上がってきたマグマは、目潟の地下で地下水と出合った。マグマと水がぶつかると大変なことが起こる。原子爆弾級の大爆発（マグマ

マグマ水蒸気爆発によって生まれた一ノ目潟。直径は約600メートルある＝八望台から撮影

注1　一ノ目潟は男鹿市民の水道水として使われているため、湖畔は立ち入り禁止。ぜひ八望台という展望台から見てほしい。一ノ目潟は一部だが、二ノ目潟は全体が見える

注2　マグマ水蒸気爆発の例として、伊豆諸島南部の海底火山・明神礁で起きた1952年の大爆発がある＝写真

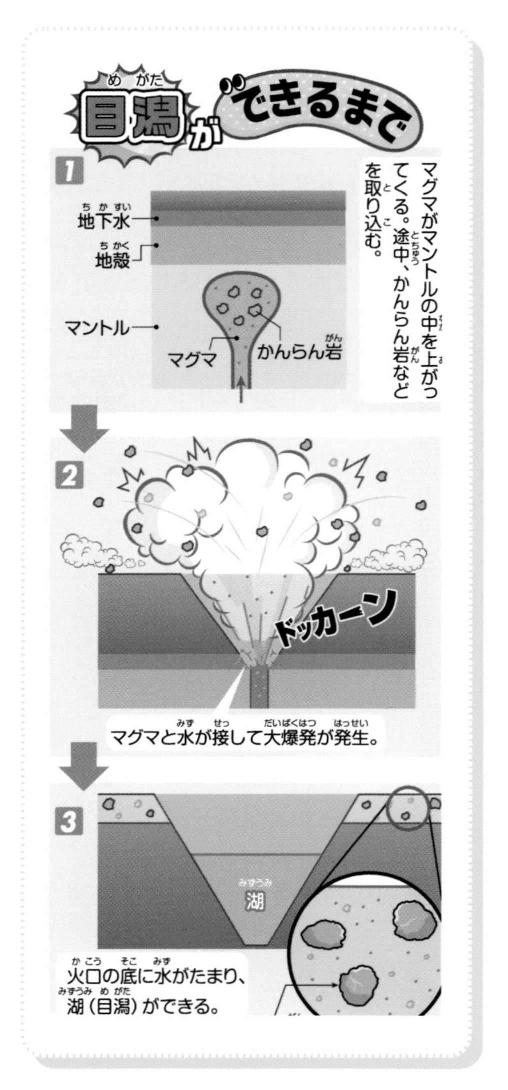

水蒸気爆発）が起こるのである（注2）。

目潟の地下で地下水と出合ったマグマも同じように大爆発を起こした。ものすごい爆発で、周りの岩や土砂はすっかり吹き飛ばされてしまった。後に残されたのは巨大な火口である。理科の実験で使う「ろうと」のような形だ。その底に水がたまったのが目潟である。

目潟ができるまで
1
マグマがマントルの中を上がってくる。途中、かんらん岩などを取り込む。
地下水
地殻
マントル
マグマ
かんらん岩
2
ドッカーン
マグマと水が接して大爆発が発生。
3
湖
火口の底に水がたまり、湖（目潟）ができる。

一ノ目潟はおよそ8万年前から11万年前、三ノ目潟は約2万8千年前、二ノ目潟は20万年前よりも古い時期にできたと考えられている。

マントル生まれの宝石、かんらん石

三つの目潟の中で、最も大事なのは一ノ目潟である。一ノ目潟は地球の中を見る「目」であり、地球の過去を見る「目」でもあるからだ。今回は地球の中を見る「目」としての一ノ目潟についてお話ししよう。

地球は卵と似ている。殻に当たるのが地殻。地球の殻という意味である。その中に白身に当たるマントルがあり、さらに中心には黄身に当たるコアがある。地球の体積のおよそ8割はマントルである。だから、マントルについて知らないと地球を知ったことにはならない。

マントルを調べる方法として思いつくのは、「穴を掘る」という単純な方法だ。かつて、ロシアのコラ半島でボーリングによる掘削が行われた。ところが深さ12キロを少し過ぎた辺りで、予想よりも温度が高くなり、それ以上は掘り進めなくなった。これが人類の掘った最も深い穴だが、あと20キロは掘り進まないとマントルには届かない。

マグマは、マントルの中で作られる。マグマは地面に向かって上がってくる途中で、マントルの岩石をつかまえて地上まで運んでくることがある。というわけで、火山を探すとマントルの岩石が見つかることがある。だがこれはとても珍しい。その珍しい例が、一ノ目潟（そして三ノ目潟）なのである。

一ノ目潟から噴き出したマグマが固まった物や土砂は、湖の周りにうっすらと積もっている。この中に緑色をした石が、数万個に1個ぐらい入っている。これが、マグマが地下から運んできたマントルの岩石だ。

この岩石のほとんどを作っている緑色の鉱物は、「かんらん石」である。岩石としては「かんらん岩」と呼ばれる。皆さんはペリドットという宝石を知っているかな？　この宝石は、実は透明なかんらん石である。

男鹿市ジオパーク学習センターでは本物のかんらん岩、つまりマントルに触ることができる。

「一ノ目潟」は、世界中の地球科学者に知られている。地下深い場所にあるマントルを見ることができるという意味で、一ノ目潟は地球の中を見る「目」なのである。

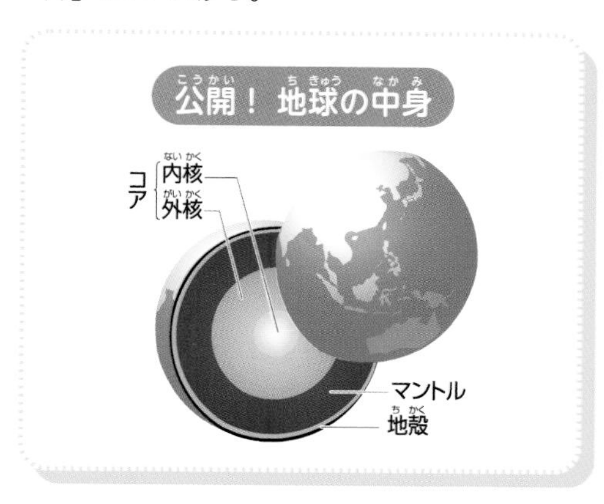

一ノ目潟近くで採取されたかんらん岩
（林先生撮影）

深い地下から贈り物

前のページで紹介したペリドットは、実は「かんらん石」という鉱物の一種だ。かんらん石の中でも、透明で大粒のものが宝石のペリドットなのである。実はこのかんらん石は、マグマのもとでもある。つまりマグマのもとになっているのは、ペリドットと同じ鉱物なのである。「え？　緑色の宝石がマグマのもと？　だってマグマは真っ赤だよ」と思ったりするよね。では、マグマができるところから順を追って説明していこう。

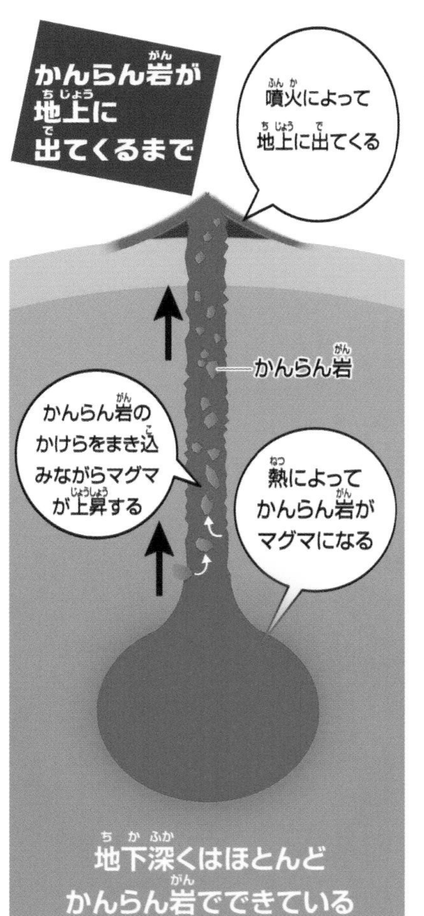
かんらん岩が地上に出てくるまで
噴火によって地上に出てくる
かんらん岩
かんらん岩のかけらをまき込みながらマグマが上昇する
熱によってかんらん岩がマグマになる
地下深くはほとんどかんらん岩でできている

マグマに運ばれ地上へ

秋田県の鳥海山は活火山だ。この火山の噴火のもとは、マグマである。そのマグマは、深さ60キロもの地下深くで、できたと考えられている。鳥海山は2236メートルあるけれど、その27倍もの深さの所からマグマはやってきた。そんな深い所には「かんらん岩」という岩石がある。このかんらん岩がマグマのもとなのである。かんらん岩のほとんどはかんらん石でできている。

地下深くは、ものすごく熱い。千度を超える熱さだ。この中に温度の高い部分ができると、かんらん岩の中の溶けやすい成分がマグマになる。そのマグマが集まって大きな塊になると、プカプカと浮き上がってきて、やがて火口から噴き出すのである（マグマができてから噴火するまでは、いろいろな物語があるのだけれど、これはまた別の機会に）。

宝石のペリドットも普通のかんらん石も緑色をしている（黄色いものもある）。でも、できあがったマグマが固まると玄武岩という岩石になる。この石は真っ黒だ。

マグマというと「赤い」というイメージがあるね。それはマグマが千度以上もあって高温だからだ。玄武岩に熱を加えてみよう。700度になるまでは、ほとんど真っ黒だ。さらに温度を上げると、うっすらと光りだす。千度になると真っ赤に光り、そしてドロドロと溶け始める。実は温度の高いものは赤く光るのである。例えば、バーベキューをするときの木炭も本来は黒いのに真っ赤に見える。

<まとめ>

マグマのもとはかんらん岩だ。かんらん岩は、ほとんどかんらん石でできている。かんらん石は、中学生のみなさんは聞いたことがあるよね。中学校の理科の教科書には写真が載っている。そして、かんらん石の透明なものがペリドットだ。つまり、宝石のペリドットと同じような物質が、マグマのもとなのである。ちなみに、かんらん岩の英語名は「ペリドタイト」。ペリドットとよく似た言葉だね。

8月の誕生石でもあるペリドット。美しいだけではなく、宝石としては値段も手頃で、手に入れやすい（林先生撮影）

マグマの大もと・かんらん岩。かんらん石がたくさん集まったもの（林先生撮影）

しましまが歴史を語る

一ノ目潟の湖底の下からとれたしましまの地層（男鹿市ジオパーク学習センター提供）

男鹿市にある一ノ目潟は火山の爆発によってできた深い湖だ。14ページで、一ノ目潟は地球の中を見る「目」というお話をした。今回は、一ノ目潟は「地球の過去」を見る「目」でもあることをお話ししよう。

一ノ目潟の直径は約600メートルと小さいのに、深さは44.6メートルもある。2006年、この一ノ目潟の底から、白っぽい層と黒っぽい層からできているしましまの地層が発見された。

細かなしまの地層は「年縞堆積物(年縞)」といい、小さくて静かで深い湖にしか見つからないものだ。一ノ目潟を含め、こんな湖は日本に10カ所もないらしい。

湖はとても深いので、湖面に少しくらい波が立っても底の方は静かなままである。春先には、たくさん発生したプランクトンの死骸が底に静かに降ってくる。そして雪のようにふわっとたまって白っぽい層をつくる。もちろんとても薄い層だ。

秋から冬にかけては、湖に飛んできた黄砂など細かな土のほこりが静かに湖の底にたまり、黒っぽい層をつくる。こちらもとても薄い層である。小さくて静かな湖の底では、毎年毎年少しずつ白っぽい層と黒っぽい層がたまっていく。

毎年白っぽい地層と黒っぽい地層がたまるとする。白と黒の地層を合わせて１枚と数えよう。２年たつと地層は２枚になる。100年たつと100枚。そして１万年たつと１万枚の地層ができる。一ノ目潟では、３万枚の地層が見つかっている。つまり３万年分の地層だ。

実は普通の地層がいつできたか調べるのはとても難しい。でも、一ノ目潟の地層はいつできたのかとても簡単に分かる。湖の底の表面の地層は今年できたものである。底から100枚下の地層は100年前のもの。底から１万枚下の地層は１万年前の地層である。１年に１枚できたということが分かっているので、何年前の地層かはっきりと調べることができるのである（もちろん数えるのはとても大変ではある）。

1年、1年積み重ねて3万年!

一ノ目潟の底にあるしましまの地層は、本のページにそっくりだ。しかも、さまざまな出来事が記されているという意味でも本にそっくりなのである。

2006年に一ノ目潟で発見された３万枚ものしましまの地層はすごい。３万年分ものことが記された分厚い本が発見されたようなものだからだ。人間の書いた本よりもはるかに古い出来事がわかる、特別な本だ。

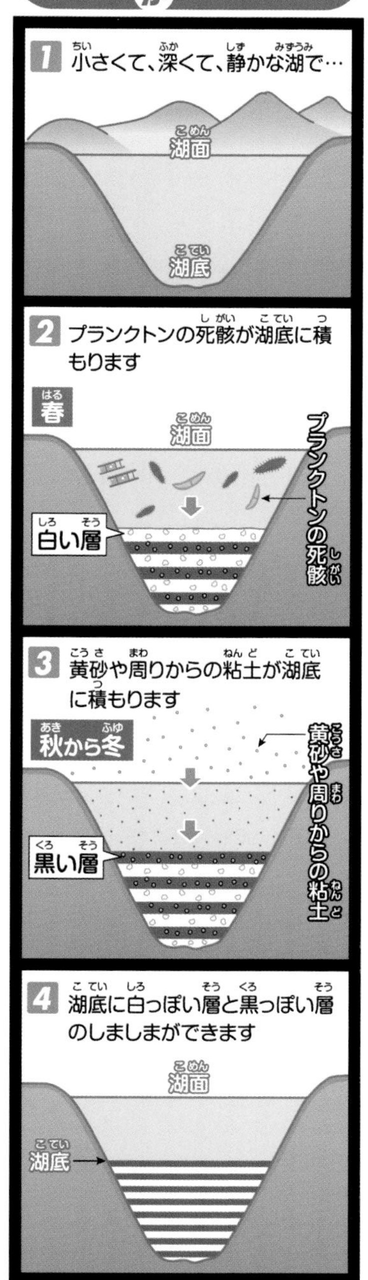

年縞ができるまで
1 小さくて、深くて、静かな湖で…
湖面
湖底
2 プランクトンの死骸が湖底に積もります
春
湖面
プランクトンの死骸
白い層
3 黄砂や周りからの粘土が湖底に積もります
秋から冬
黄砂や周りからの粘土
黒い層
4 湖底に白っぽい層と黒っぽい層のしましまができます
湖面
湖底

このように1年に1枚ずつ湖の底にたまってできる地層が年縞堆積物である。

一ノ目潟の年縞は3万年分もある。そのため一ノ目潟は世界的に有名である。2013年にもう一度調査が行われ、もっと古い地層が見つかっている。現在、新しく見つかった地層について研究が進んでいるところである。どんな成果が出てくるかとても楽しみだ。

周りの植物や
当時の気温

噴火や地震の発生

年縞から分かること

一ノ目潟の底にたまった地層では、過去にあったいろいろな出来事が分かる。中に入っている花粉からは、周りにどんな植物があったのか知ることができる。どんな植物があるか分かると、気温がどのくらいだったか考えることができる。

また地震や火山の噴火についても分かる。大きな地震により大きな揺れが起こると、湖の周りが少し崩れて土砂が流れ込んでくる。流れ込んできた土砂を調べると、いつ地震が起こったか分かるのである。

火山が噴火すると、たくさんのマグマが火山灰になって噴き出す。遠くの火山で噴火した火山灰が降ってきて地層の一部になる。上から何枚目の地層か数えるといつの噴火か分かるのである。

溶岩の流れ、くっきり

火山が噴火する時、「ドカーン」とは爆発しないで静かにマグマが火口からあふれ出し、流れてくることがある。この流れが「溶岩」だ。

溶岩の流れる速さは、世界最高記録で時速50～60キロ（コンゴ民主共和国のニーラゴンゴ山、1977年の噴火）。日本の火山の溶岩はこれよりもゆっくりで、人が歩くよりも遅いことが多い。

例えば、秋田駒ケ岳で起きた1970年噴火の溶岩は、1日で100メートルくらい流れた（といっても、日本の火山が爆発すると、高温のガスや火山灰がものすごい勢いで流れてくる「火砕流（→92ページ）」などの危険な現象が起きることがあるので、注意が必要だ）。

秋田駒ケ岳

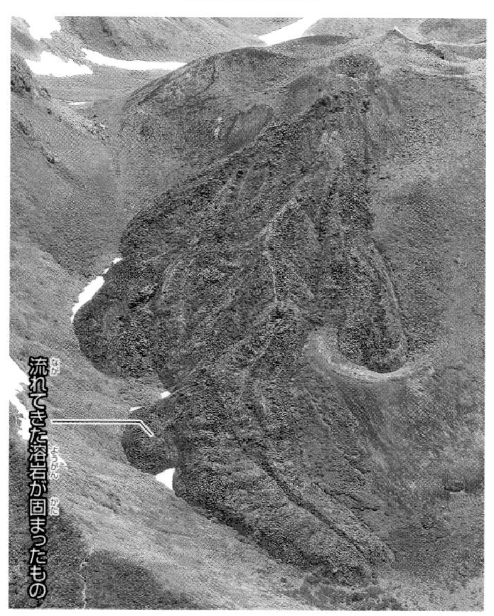

2015年、ヘリコプターから林先生が撮影

鳥海山

2008年、ヘリコプターから林先生が撮影

流れてきた溶岩はやがてストップし、冷えていく。ところで、ドロドロの真っ赤な溶岩が冷えて固まると、何になるんだっけ？　そう、安山岩や玄武岩などの「岩」になるのである。

流れてきた溶岩は、冷えるとそのままの形で固まり、岩になる——。その様子がとてもよく分かる２枚の写真がある。１枚は鳥海山（前のページ右の写真）、もう１枚は秋田駒ケ岳（前のページ左下の写真）だ。ネバネバした長い溶岩がうねうねと山の表面を下り、やがて固まった様子が、盛り上がった岩の形からはっきりと分かる。

マグマには粘り気の強いものから弱いものまで、いろいろな種類がある。粘り気の強いマグマはゆっくりと流れ、分厚い溶岩になって固まる。粘り気の弱いマグマは素早く流れ、薄く広がって固まる。

さて「冷えた溶岩」の巨大な塊が見られる場所を、もう一つ紹介しよう。秋田県の南の端、鳥海山の麓にある「三崎公園」（にかほ市）だ。その展望台からは高さ60メートルの切り立った崖が見える。この崖の上から下までの全部の岩が、１回の噴火で流れてきた溶岩なのである。この場所は左のイラストにあるように、溶岩の先っぽに当たる。この溶岩は3000年前、こ

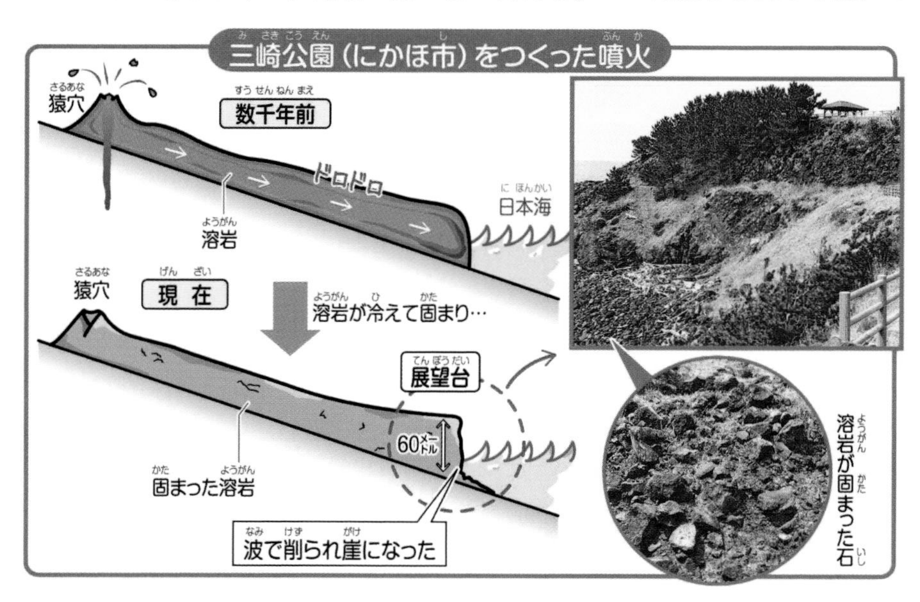

こから8キロ東にある「猿穴」という火口から流れてきた。

展望台の周りの崖をつくっている岩石（前のページイラスト内の写真）を見てみよう。灰色の石だね。この岩石のもとはマグマである。つまり、この石はマグマが固まったものなのである。ごく普通の石に見えるけれど、元々は1000度もあるドロドロに溶けた熱いマグマだったと考えると、何だかすごい石のように感じられる。

ソースマヨネーズで溶岩実験！

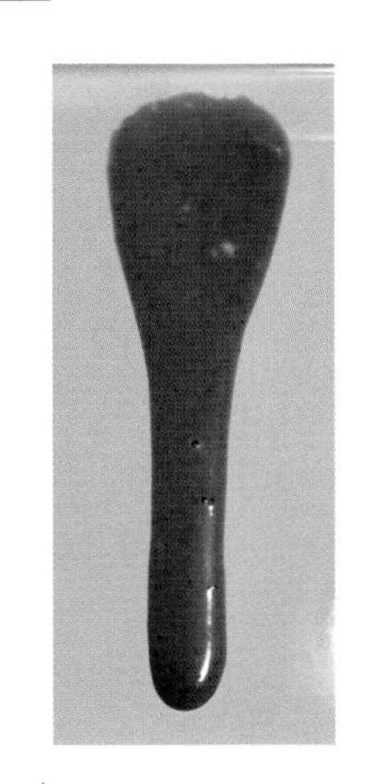

右の写真、何だか分かるかな？　ソースとマヨネーズを混ぜて作った「ソースマヨネーズ溶岩」が、お皿の上を流れていくところだ。

溶岩が流れる様子は、実はソースやマヨネーズのそれとそっくりだ。特に「ソースマヨネーズ」は、秋田県の火山の溶岩のイメージにとても近い。お皿の上をゆっくりと流れていく様子は、まるで溶岩のミニチュアだ。

もちろん本物の溶岩は、お皿の上の「ソースマヨネーズ溶岩」よりも、ずっと大きい。ざっと1万倍にすると本物の溶岩の大きさになる。ちなみに、ソースマヨネーズはイカリングフライに付けると、とてもおいしい。

溶岩の粘り気と流れる速さ、溶岩の形は、ソース（中濃ソース）やマヨネーズをお皿に垂らして傾ける実験をしてみるとよく分かる。

粘り気の弱い中濃ソースは皿の上を速く流れるし、粘り気の強いマヨネーズはほとんど流れない。ちなみにソースのように粘り気の弱い溶岩は、三宅島や富士山などに多い。マヨネーズのように粘り気の強い溶岩は、十和田湖にある御倉山などである。そして秋田県の多くの火山には、この二つの中間の「ソースマヨネーズ」のような溶岩が多い。鳥海山や秋田駒ケ岳の溶岩も「ソースマヨネーズ」タイプだ。

マグマの粘り、上って体感

火山の噴火の元はマグマだ。マグマとは地下にあるドロドロに溶けた岩石である。およそ1000度もあり、火口からあふれて溶岩となって流れると森や建物を焼いてしまう。実はマグマにはいろいろな粘り気のものがある。今回はマグマの粘り気の違いが分かる場所や、粘り気を体で感じる方法を紹介しよう。

マグマにはいろいろな粘り気があるが、さらさらのものはスーッと高速で遠くまで流れる。粘り気の強いものはマヨネーズのように粘っこくて火口から盛り上がってなかなか流れない。

また、マグマが固まると岩になるので、流れ出た溶岩はそのまま固まってしまい、地図で見るとその形がよく分かる。マグマの粘り気が強いほどできあがった溶岩は厚くなる。このマグマの粘り気を体で感じる方法がある。それは「溶岩に登ること」だ。マグマの粘り気が強いほど、厚い溶岩になるので、登ると疲れるのである。

まずは粘り気の弱いマグマの固まった溶岩をお見せしよう。25ページ左下の写真は、富士山の南西のふもとの静岡県富士宮市にある溶岩である。山宮浅間神社という所にあるこの溶岩は、厚さがおよそ10メートルある。

マグマと溶岩
マグマは地下にある時は「マグマ」と呼ばれるが、火口からあふれ出すと「溶岩」と名前が変わる。
火口
溶岩
マグマ

68段の石段になっていて、段差は割と小さい。あっという間に上がることができる。ここを上っても全く疲れないね。

マグマには粘り気が中間のものもある。実は秋田県の火山にはこの「粘り気の中間」のものが多い。では、少し県境を越えて山形県に行ってみよう。山形県遊佐町の吹浦という所には大物忌神社という立派な神社がある（真ん中の写真）。この神社は鳥海山が噴火した時の「粘り気が中間」の溶岩に造られていて、入り口は溶岩の下側に、本殿は溶岩の上側にある。つまり、本殿までの石段を上ると、溶岩を下から上に上ったことになる。

では上ってみよう。一段一段、結構段差がある。上に近づくと、足を持ち上げるのがつらい。159段上ってやっと本殿、つまり溶岩の上に出た。とてもとても疲れるが、ぜひ一度試してみていただ

富士山

粘り気★☆☆

溶岩の厚さ10メートル

山宮浅間神社の富士山の溶岩に作られた68段の石段＝静岡県富士宮市

鳥海山

粘り気★★☆

溶岩の厚さ40メートル

大物忌神社の鳥海山の溶岩に作られた159段の石段＝山形県遊佐町

十和田湖

粘り気★★★

溶岩の厚さ250メートル

十和田湖の御倉山。溶岩の厚さは約250メートル＝青森県十和田市

（写真はいずれも林先生撮影）

きたい。「粘り気が中間」の溶岩でも、こんなに厚いということが体で分かる。

1回で250メートル　御倉山、粘って高く盛り上がる

粘り気の強いマグマの固まった溶岩はもっと厚い。前のページ右下の写真は十和田湖の御倉山だ。ここでは、遊覧船やカヌーから溶岩の見学ができる。近くにカヌーで行くとその迫力に驚かされる。見えている崖の下から上までが1回の噴火であふれ出てきた分厚い溶岩である。その厚さは250メートル近く。ここには石段はないけれど、段をつけたとすると1000段から2000段の石段になる。上ったとしたら、とても疲れることだろう。

このようにすると人間の持つ五感（見る、聞く、味わう、触る、かぐ）以外の感覚で溶岩を味わえるのである。

溶岩の厚さを体感するのなら、秋田県内では由利本荘市の法体の滝（鳥海山・飛島ジオパークのジオサイト）がおすすめである。法体の滝は鳥海山の溶岩でできている。法体の溶岩には、下から上まで階段がついている。

この溶岩を作ったマグマの粘り気は中間だ。ぜひ自分で段数を確かめてみてほしい。ちなみに法体の滝の溶岩の厚さは約50メートルである。法体の滝にはキャンプ場もあってとっても楽しいよ。

注　一つの火山でも、時期によって粘り気の違うマグマが出てくることがあります。

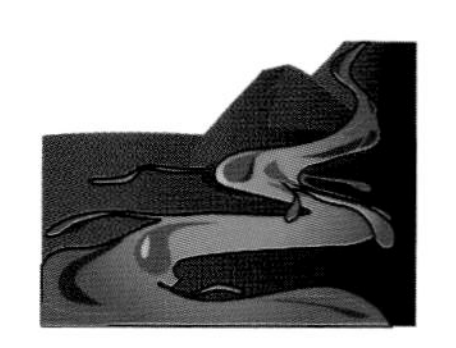

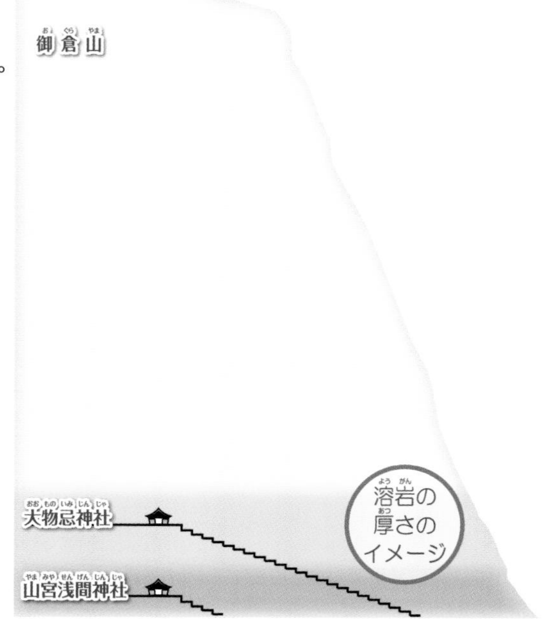

知るほどすごい、流紋岩

流紋岩

マグマが地上に噴き出して固まった岩石の一つ。シリカという成分が多く、これが多いほど粘り気が強くなる（林先生撮影）

今回のテーマは「流紋岩」。見た目は普通の石だ。実際、流紋岩はあまり珍しくはない石である。でも、流紋岩は二つの意味ですごいのだ。流紋岩になる前のマグマだった時がすごいし、黒光りする石になるとこれまたすごい。今日はその二つについてお話ししよう。

その1　大爆発を引き起こす！

流紋岩は、もともとはマグマだった。数百度（たぶん800度くらい）のどろどろに溶けた真っ赤に光る液体だったのである。このマグマの特徴はとても粘っこいところだ。それがすごいところなのである。と書いても、どこがすごいかさっぱり分からないよね。この粘っこいマグマのすごさは、とても爆発しやすいというところにある。

マグマはどのようにして爆発するかというところから説明しよう。地下にたまっているマグマには水蒸気などの火山ガスが溶け込んでいる。ある時、この水蒸気が泡立ち始める。この泡がたくさんたまってくると、軽くなってマグマは地上に向かっていく。さらにたくさんの泡が出てきて、火口からものすごい勢いで噴き出す。これが火山の爆発だ。

では、粘っこいマグマと、サラサラのマグマではどちらが爆発しやすいだろうか？　サラサラのマグマはすぐに泡が上に上がってしまって、なかなか

コーラでマグマの噴火実験

用意するもの

糸（10チセン以上）

ビニールテープ 6チセンぐらい

実験方法

1 ペットボトルのふたを外し、くぎで穴を開ける
ぐり
ぐり

2 ビニールテープに糸を付け、メントスを貼り付ける
ぺた
ぺた

3 テープの糸をふたの穴に通す
すぅー

4 コーラは少し飲んで3チセンほど空間を空ける
プハー

5 糸を押さえたままふたをコーラのボトルに取り付ける
きゅっ
ドキ
ドキ
（少しの刺激でコーラが噴き出すので慎重に）

6 糸を離してすぐ離れる
ひゅー
ビュー

7 コーラが噴火！

ポイント

コーラなどの炭酸飲料には炭酸ガス（二酸化炭素）が溶け込んでいる。この炭酸ガスが、マグマに溶け込んでいる水蒸気（火山ガスの主成分）と同じ作用をする。コーラとメントスが反応し、ガスの泡がたくさんできるのに注目しよう

メントスとコーラが反応して泡がたくさんでき、ふたの穴から勢いよく噴き出す（林先生撮影）

※注意

実験は必ず屋外でやろう。室内でやると、コーラが天井の照明にかかったりして、漏電や感電の恐れがあります

マグマの中にたまらない。ところが粘っこいマグマだと、泡がどんどんたまるのである。お鍋でお湯を沸かしても水はあふれないけれど、そばをゆでている時、泡だらけになったお湯がお鍋からあふれることがある。これもそばをゆでているお湯が、水よりもすこし粘っこいからなのである。

粘り気の強い流紋岩マグマは泡がたまりやすく、すぐ爆発してとても危険だ。9万年前に九州の阿蘇山で起きた大噴火の時のマグマも流紋岩に近いマグマである。このように流紋岩はマグマだった時すごかったのである。

「鬼滅の刃」という漫画がある。この中には「流紋岩」という技がある。もしかすると「鬼滅の刃」の作者の吾峠呼世晴さんは、流紋岩マグマのすごさを知っていて技の名前に使ったのかもしれないね。

その2　狩りや料理に活躍!

流紋岩のすごいところの二つ目に話を進めよう。

流紋岩マグマは固まり方によっては黒光りするとてもきれいな石になる。黒曜石という岩石である。黒曜石は黒い天然のガラスの塊だ。割ると鋭いかけらができる。ものすごく鋭くて、ナイフよりも切れるくらいだ。

黒曜石

マグマが冷えて固まってできる黒曜石。加工しやすく、割れた部分は鋭い(林先生撮影)

旧石器時代や縄文時代の人は、金属の刃物を持っていなかった。昔の人は黒曜石を丁寧に加工してナイフや矢尻ややりの穂先として使っていた。狩りをしたり、料理したりする時、黒曜石が役に立ったのである。

実は僕も黒曜石のナイフをキッチンで使っている。チキン料理には特に便利だ。鳥の皮はなかなか包丁では切れないけれど、黒曜石ナイフを使うとスーッと簡単に切れる。その切れ目に香草を入れて焼くと大変おいしいソテーが出来上がる。

日本一深い湖・田沢湖はどうやってできた？
大地へこます巨大噴火

どのくらい深い？

田沢湖の御座石。透き通った湖水が美しい（林先生撮影）

岩の上からのぞきこんだ湖は、透明だった。しかも、青い。こんなに青くて透明な水は沖縄のビーチでしか見たことがない。ずっと深くの岩も見えるし、魚が泳いでいるのも見える。岩に映った波の影の模様が美しい。ここは田沢湖の御座石。たつ子姫の伝説で有名な田沢湖のほとりだ。田沢湖は直径6キロとそれほど大きな湖ではない。しかし、その割には423メートルととても深い。なにしろ深さは日本一なのである。どうしてこんなに深い湖がそこにあるのか、今日はそれをお話ししよう。

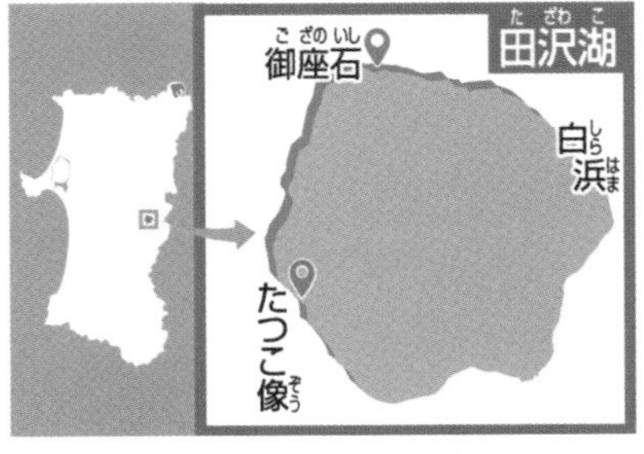

田沢湖がとても深い理由はそこが火山だからだ。火山というと富士山や鳥海山のような「山」を思い出すね。田沢湖のどこに火山があるんだろう？　その答えは「田沢湖全部が火山」なのである。田沢湖はへこんだ火山の一種で「カルデラ」と呼ばれている（ちなみにカルデラはスペイン語で大きい鍋という意味）。

今から200万年前から180万年前の間の大昔のこと。巨大な噴火が始まった。もちろん噴火地点は今の田沢湖がある所だ。この時出てきたマグマは、東京ドーム10万杯ほどの大変な量だった。

出てきたマグマは、コーラのように泡立って火山から噴き出した。勢いよく噴き出したマグマはしぶきになって飛び出し、火山灰や軽石になった。この軽石や火山灰は空高く煙の柱のように上っていった。火山灰は風によって遠くまで流され、千葉県の屛風ケ浦でも発見されている。また、四方八方に火砕流も流れ出した。

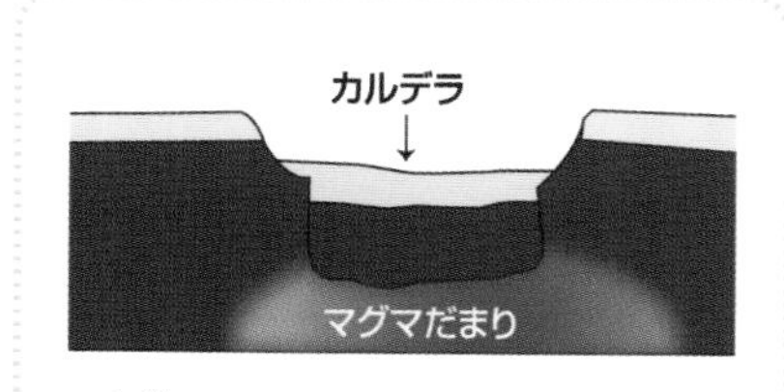

火山のはたらきによってできた巨大なくぼ地。大量のマグマが火砕流として一気に噴き出し、マグマだまりの天井が落ち込むなどしてできる

この噴火では、このようにしてものすごい量のマグマが噴き出してきた。こんなに大量のマグマが噴き出すと面白いことが起きる。地面がへこんでしまうのである。次のページのコンデンスミルクとココアの実験で調べてみよう。

へこみに水がたまる

200万年前から180万年前の間の大昔の田沢湖でも、マグマが大量に噴き出したために大きなへこみができた。その大きなへこみに水がたまったのが田沢湖なのである。火山によってへこんだ地形をカルデラというが、そこに水がたまった湖をカルデラ湖という。田沢湖は大量のマグマが噴き出してできた大きなへこみに水がたまったため、こんなに深いのである。

ちなみに、日本の深い湖ランキングは、1位が田沢湖、2位が北海道の支笏湖、3位が秋田県と青森県の県境にある十和田湖だ。この3つの湖はどれもカルデラ湖だ。ぜひ、次の夏休みは田沢湖か十和田湖に行って、巨大な火山のへこみを実感してほしい。

コンデンスミルクとココアでカルデラ実験！

用意するもの

コンデンスミルク、ココア、お弁当用のシリコンカップ、紙皿、茶こし、三脚など台になるもの

実験方法

❶シリコンカップと紙皿に穴を開けておく

❷シリコンカップを紙皿の上に乗せ、台の上に置く。穴にティッシュペーパーで栓をして、カップにコンデンスミルクを入れる

❸コンデンスミルクを入れたカップの上に、ココアをふるい入れる。コンデンスミルクは地下にあるマグマだまりの代わりで、ココアはその上にある大地に見立てた

❹ココアの大地ができたら、ティッシュペーパーの栓を抜く。実際の噴火では、マグマは上に向かって噴き出すけれど、その実験は難しいので、ここでは下に抜いてしまう

❺コンデンスミルクが穴から抜けると、ココアの表面に丸い割れ目が入り、丸いへこみができ始める。それがだんだん深くなり、カルデラそっくりの丸いへこみができる

※実験に使ったコンデンスミルクとココアは後でおいしくいただこう！

おすすめキャンプ情報

今、僕はキャンプ場でこの原稿を書いている。今朝は何種類もの鳥の声で目をさました。火をおこして、お湯を沸かし、ご飯を炊いて、野菜炒めを作る。食後のコーヒーを飲んでいたら、近くをかわいいリスが通り過ぎた。こんなふうに自然の中にいるととてもリフレッシュできる（原稿も快調に進む）。

この「地球の不思議」では、僕のおすすめのキャンプ場も紹介していきたい。アニメの「ゆるキャン△」では、伊豆半島ジオパークの大室山や爪木崎を訪れながらキャンプを続けるという回があるが、同じようにキャンプと大地の雄大さを一緒に楽しんでほしい。田沢湖にはキャンプ場が何カ所かある。「田沢湖オートキャンプ場縄文の森たざわこ」は設備が整っているのでキャンプが初めてという人におすすめだ。

玉川温泉は日本一！

ものすごい湯気と音だ。湯気はモクモクと立ち込めて、なかなかその中が見えない。時々、風向きが変わると、お湯が湧き出しているのが見える。小さなドームのように水面が盛り上がり、たくさんの泡と一緒にお湯が出てくる。そこから少し離れた遊歩道にいても、沸き立ったお湯の熱を感じることができる。

仙北市田沢湖にある玉川温泉（玉川温泉提供）

僕は今、仙北市田沢湖の山の中にある「玉川温泉」に来ている。ここはその中でも、最もたくさんお湯が出ている「大噴（「おおぶけ」と呼ばれることもある）」という所。玉川温泉の「源泉」（温泉が湧き出る場所のこと）である。

玉川温泉は、すごい所だ。第一に「大噴」のお湯は、１カ所から湧き出すお湯の量としては日本一。第二に、そのお湯がものすごく強い「酸性」なのである（酸性という言葉は、小学校６年生の理科で習います）。第三に、大変珍しい「北投石」という石が取れるのである（※北投石＝「ラジウム」などを含

秋田焼山

む石。国の特別天然記念物になっている貴重な物で、採集は禁止されている）。

では、どうしてこんなにすごい温泉があるのだろうか？　その秘密は、「秋田焼山」という活火山にある。

玉川温泉は、秋田焼山の麓（山の下の方）にある。秋田焼山は、1997年にも噴火した活火山だ。秋田焼山の地下には、マグマがある。そのマグマのエネルギーが地下水を温め、それが温泉として湧き上がってきているのだ。つまり玉川温泉は、火山のエネルギーを体感できる場所なのである。

あっという間！

「大噴」から出てくるお湯の量はすさまじい。1分間で約9千リットルものお湯が出てくる。「1分間で9千リットル」といっても分かりにくいので、家のお風呂で考えてみよう。

家庭用のお風呂に入るお湯の量は、だいたい200リットルくらい。大噴から出るお湯は、1秒ちょっとで家庭用のお風呂をいっぱいにしてしまう。1分間だと、家庭用のお風呂45杯分のお湯が湧き出す。

ちなみに、大噴のお湯の温度は98度。そのお湯を60リットルほど風呂に入れて水で薄めると、入浴するのにちょうどいい湯加減になる。60リットルのお湯が大噴から湧き出すのにかかる時間は「0.4秒」だ。「あっ」と短めに叫ぶと、そのくらいの時間がたってしまう。あっという間に、入浴の準備ができる。

お湯が湧く量
1秒ちょっとで
お風呂がいっぱいに!

マグマの力だ!

玉川温泉の楽しみ方をご紹介しよう。「大噴」を見た後は、遊歩道の地面に触ってみてほしい。場所によって熱い所があるのが分かる。手のひらにマグマのエネルギーが感じられるね。

次に遊歩道沿いを散歩してみる。すぐに気が付くと思うけれど、ほとんど植物が生えていない。玉川温泉からは酸性の火山ガスが出ているので、普通の植物は生育できないのである。白っぽくボロボロの岩でできている荒涼とした光景は、地球のものとは思えないくらいだ。

黄色い所が「硫黄」の結晶（林先生撮影）

ガスの噴き出し口も眺めてみよう。勢いよく噴き出しているガスと、噴き出し口の周りの黄色の結晶が、遊歩道から見える。これは硫黄の結晶だ（※絶対に硫黄を取りに近づいてはいけない。火山ガスには「硫化水素」などの有毒なガスが混ざっており、とても危険だからだ）。

最後は温泉に入って、全身でマグマのエネルギーを感じよう！

「火山」が育んだ命

「クニマスが発見された」というニュースを覚えているかな？　クニマスは田沢湖にしかいない貴重な魚だった。33ページで玉川温泉を紹介したけれど、実は玉川温泉の水は、魚にとっては良くない。玉川温泉の水は、ものすごく「酸性」なのである。

1940年、水力発電などのために、玉川温泉から流れてくる川の酸性の水が田沢湖に引き込まれた。その結果、田沢湖のほとんどの魚は死滅してしまった。もちろん、クニマスもである。

クニマスの発見に500万円の懸賞金が懸けられたこともある。それでもクニマスは発見できなかった。皆、すっかり諦めていた。そこに「クニマス発見」のニュースである。京都大学のグループや、魚類の研究者でタレントのさかなクンが、富士山の麓にある西湖（山梨県）でクニマスが生きていることを発見したのだ。2010年のことである。

というわけで、ここではそのクニマスが見つかった西湖と、もともとクニマスがすんでいた田沢湖のお話をしよう。まずは田沢湖から。

クニマスが見つかった西湖と富士山（林先生撮影）

田沢湖はじつは「火山」で、200万年前から180万年前に、巨大な噴火が起こった。地下から大量のマグマが噴き出したおかげで、上部が空になった「マグマだまり」に地盤が落ち込んで大きなへこみができた（これを「カルデラ」という）。

ここに水がたまってできたのが田沢

湖である。この湖に長い間すんでいたことで、クニマスは田沢湖独特の生き物として進化したのだろう。クニマスは「火山がつくった湖」に育まれた魚なのである。

次に、クニマスが生き延びていた西湖を紹介しよう。田沢湖は美しいが、この湖も実に美しい。湖岸に立つと、湖の向こうに富士山が見える。富士山の麓には「富士五湖」といって、いくつかの細長い湖があるが、西湖もその一つ。面積は田沢湖の12分の1くらいの、小さな湖である。

西湖の岸や底にある富士山の溶岩からは、きれいな冷たい水が湧き出している。この西湖に田沢湖から1930年代、クニマスの卵が運び込まれた。その子孫のクニマスが、冷たくきれいな水の西湖で生き延びていたらしい。現在、自然の状態でクニマスが生きているのは西湖だけである。「火山がつくった湖」でクニマスは生き延びていたのだ。

田沢湖のでき方

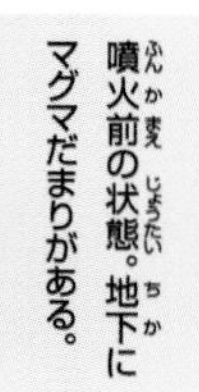

噴火前の状態。地下にマグマだまりがある。

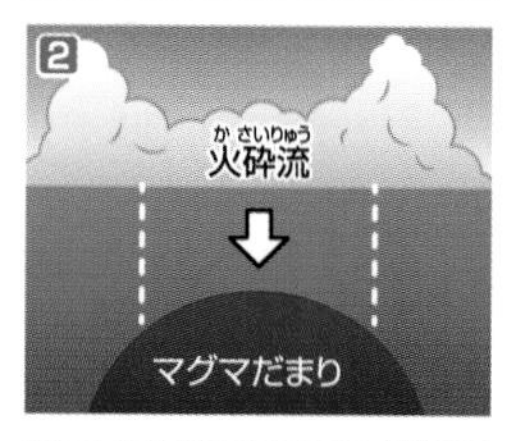

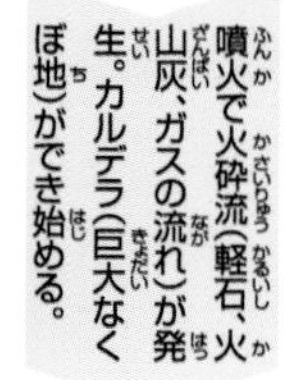

噴火で火砕流（軽石、火山灰、ガスの流れ）が発生。カルデラ（巨大なくぼ地）ができ始める。

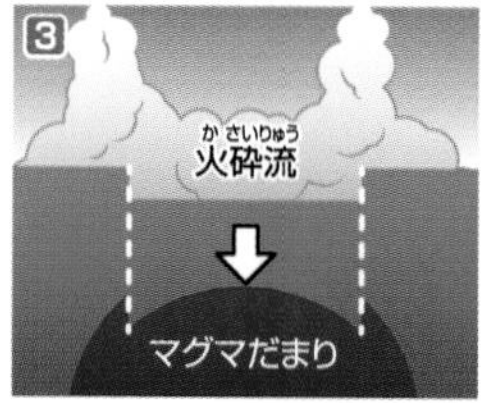

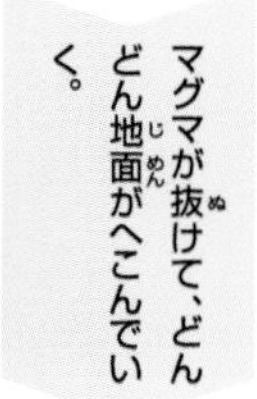

マグマが抜けて、どんどん地面がへこんでいく。

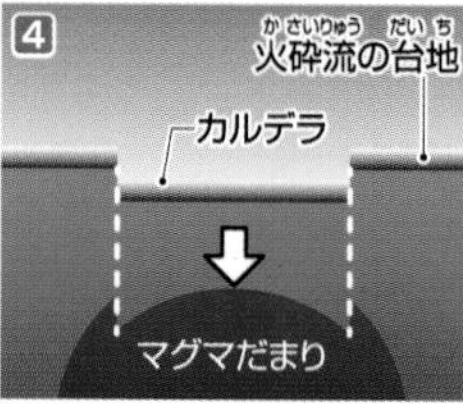

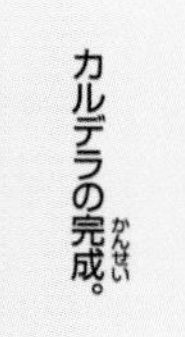

カルデラの完成。

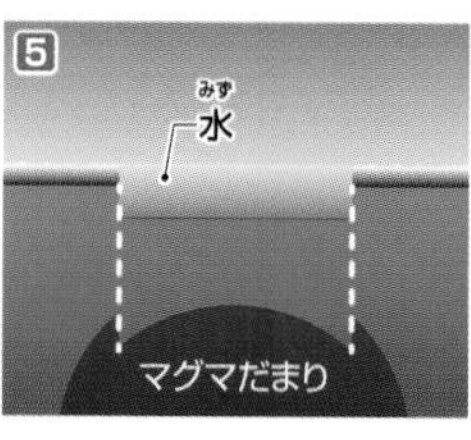

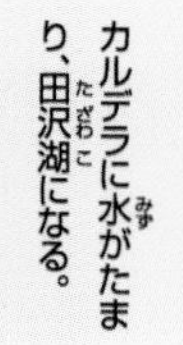

カルデラに水がたまり、田沢湖になる。

かつてクニマスがすんでいた湖も、クニマスが生き延びていた湖も、どちらも「火山がつくった湖」というところが面白い。

さて、このように火山と大いに関係のあるクニマスを自分の目で確かめてみたい方は、ぜひ「田沢湖クニマス未来館」（仙北市）へ行こう。クニマスの姿を見ることができる。クニマスに関する展示も面白い。クニマス未来館から眺める田沢湖の風景も素晴らしい。

機会があれば、富士山の麓にある西湖もぜひ訪れてほしい。西湖の近くにはいくつかの「溶岩の洞窟」がある。中は人が歩けるほどの広さがある。大変涼しいので、夏に行くのがお勧めである。

田沢湖クニマス未来館で展示されているクニマス

噴火が心配だ……

僕はとても心配していることがある。西湖は富士山の麓にある。そして、富士山は「活火山」だ。だからいつかは必ず噴火する（300年ほど噴火していないので、ますます心配である）。もし富士山が噴火し、西湖に溶岩が流れ込んだら大変だ。

実は、西湖には溶岩が流れてきたことがある。864年（平安時代）のこと、富士山の北西にある火口から大量のマグマがあふれ出し、溶岩になって広がったのだ。

この溶岩は「せの海」と呼ばれる細長い湖に流れ込んだ。このため、湖は二つに分かれてしまった。東側の方の湖が、現在の西湖である。

平安時代の溶岩で新しくできた西湖には、今後も溶岩が流れ込む心配がある。溶岩の温度は1000度ほどもある。真っ赤な熱い溶岩が流れ込むと、湖の水がお湯になってしまう心配がある。そうなると、西湖のクニマスは全滅してしまうかもしれない。今、山梨県や秋田県ではクニマスの人工飼育が行われている。このような取り組みはクニマスを絶滅させないための、たいへん大事な取り組みだと思う。

西湖のでき方

秋田市の裏山・太平山
マグマの化石 山作る

秋田市浜田の大森山公園から見た太平山

太平山は秋田市の東にある山だ。秋田市のほとんどの場所からよく見える。雪が降ったり紅葉になったり、太平山を眺めていると、とても季節を感じることができる。自分の学校の校歌の歌詞に太平山が入っている、という人も多いだろう。実は、この太平山は巨大な「マグマの化石」なのである。今日は、太平山をつくっている巨大な「マグマの化石」のでき方について説明しよう。

「白い砂」の正体は?

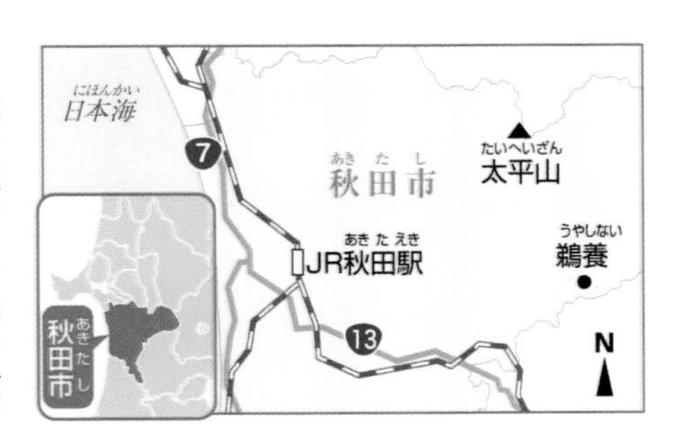

「マグマの化石」のお話をする前に、秋田市河辺の鵜養という所を紹介しよう。秋田市中心部から東へ東へと向かう。すると山に囲まれた小さな盆地(東西約2キロ、南

北約700メートル）にたどり着く。一面の水田になっていて、どちらの方向を見ても田んぼの向こうはすぐに山という光景を見ることができる。

鵜養の奥にある殿渕という所に行ってみよう。そこは大又川の澄んだ流れがさわやかな美しい谷だ。水に手を入れると冷たくて気持ちいい。その谷底の河原には、とても白い砂ととても白い石がある。その白い砂の上を澄み切った水が流れている様子がとても絵になる（鵜養はピクニックにも自由研究にもいい所だと思うよ）。

大又川の流れ。川底に白い砂が見える。川底をクローズアップしたのが右の写真（林先生撮影）

実はこの白い石や白い砂は、「マグマの化石」をつくっている石が細かくなったものである。つまり、太平山をつくる「マグマの化石」と同じ石を鵜養で眺めることができるのだ。

白い石や白い砂のもとになった「マグマの化石」は巨大な石の塊（**注1**）だ。太平山から仙北市の桧木内川近くまで続いている。東西におよそ25キロもあり、南北もそのくらいある。この巨大な岩石の塊は全部マグマが固まった石、つまり「マグマの化石」である。その一部が太平山になっているのである。

マグマの誕生は……恐竜の時代!

では、太平山をつくっているマグマの化石についてお話ししよう。このマグマ、実は1億年も前のものだ。1億年前のマグマの化石なんて、とても想像できないね。

1億年前というと、巨大な恐竜が生きていた時代である。そのころ、地下深くに大量のマグマがやってきて大きな塊をつくった。巨大なマグマだまりができたのである。

この地下の巨大なマグマの塊（もしかすると一部は噴火していたかもしれない）は、最初は高温でどろどろに溶けていたが、恐らく数万年ほどで冷えて固まった。マグマは冷えて固まると岩石になる。この巨大なマグマの塊は巨大な岩石の塊になったわけである。「マグマの化石」の誕生だ。

この「マグマの化石」は花こう岩（正確には花こう閃緑岩）という白い岩石でできている。地下深くのこの白い岩石の塊は、大地の力でだんだん持

太平山ができるまで

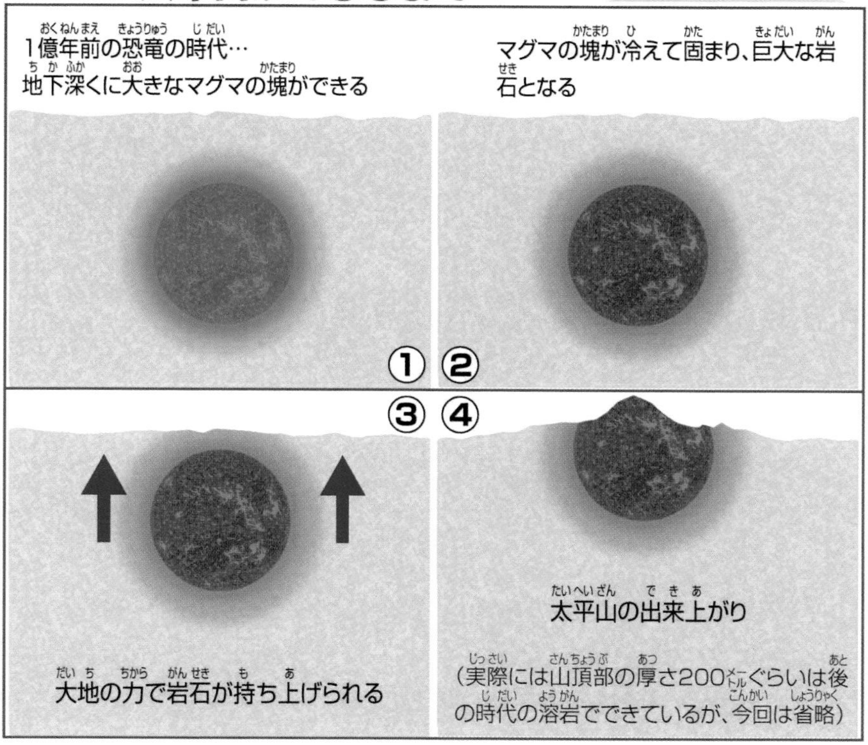

①1億年前の恐竜の時代…
地下深くに大きなマグマの塊ができる

②マグマの塊が冷えて固まり、巨大な岩石となる

③大地の力で岩石が持ち上げられる

④太平山の出来上がり
（実際には山頂部の厚さ200メートルぐらいは後の時代の溶岩でできているが、今回は省略）

ち上げられた。上にあった地層は海や川の力で削れていく。持ち上げられ、削れていくことでついには地下深くにあった岩石の塊、つまり「マグマの化石」が地面に見えてきたのである。

このようにしてできた巨大な岩石の塊の一部が、秋田市の裏山・太平山をつくっているのである（注2）。

注1 巨大なマグマの塊は、二つはあることが知られている
注2 太平山の頂上自体は恐らく数千万年ほど前の溶岩などでできているが、本体は花こう岩でできている

ごまおにぎりみたい!!

鵜養の河原にある花こう岩。よく見ると白いだけではなく、所々に黒い粒が入っている。白っぽい鉱物は長石や石英、黒っぽいのは黒雲母や角閃石などだ。その様子はおにぎりに黒ごまをまぶしたのとよく似ていて、なんだかおいしそうなのである。もちろん、食べられないけど。

（林先生撮影）

殿渕の「白い砂」を観察した後は、もう少し上流へ行ってみよう。こんな滝（伏伸の滝）があるよ

マグマのかけら
「砂鉄」で遊ぼう

夏休みに海に行くのを楽しみにしている人も多いと思う。砂浜で遊ぶのは楽しいよね。

そこで今回は、砂浜で「黒くて丸くてふわふわしていて、とってもかわいらしい物」を作る方法をお教えしよう。用意するのは磁石とひも。磁石は100円ショップで「ネオジム磁石」を買おう。この磁石にひもを付け、砂の上を引っ張って歩く。何メートルか歩くと、磁石の周りに黒い物が付いてくる。

写真で見てみよう（写真1）。黒くて丸くてふわふわして、「まっくろくろ」という感じだ。何だかかわいらしいね。触ってみると、このふわふわした物は小さな黒い粒でできているのが分かる。たくさんの細かい黒い粒が磁石にくっついているのだ。とても楽しいので、砂浜に行ったらぜひやってみてほしい。秋田県のほとんどの砂浜で、こんな黒くて丸くてふわふわしている物ができるよ。

写真1　この丸くてふわふわした物は？（林先生撮影）

写真2　拡大した砂鉄（林先生撮影）

この黒い粒を虫眼鏡か顕微鏡で見てみよう（写真2）。黒くてギラギラしていてまるで金属のようだ。これはいわゆる「砂鉄」である。金属のように見えて名前にも「鉄」がついているけど、この黒い粒は鉄ではない。酸素も入っているので、鉄のさびに近い結晶だ（正式には「磁鉄鉱」と言うよ）。金属ではないけれど、鉄でできたくぎなどのように磁石にくっつく。

砂に混ざり、川に流され砂浜に

この砂浜の砂鉄は、どこからくるのだろう？　実は砂鉄はマグマの中でできた。つまり砂鉄は「マグマのかけら」なのである。砂浜にマグマのかけらがあるなんて、何だかすごいと思う。

どうして砂浜に砂鉄がやってきたのか、簡単にお話ししよう。砂鉄は熱いマグマの中で誕生した。マグマの中にその黒い粒ができる（砂鉄以外の粒もできるけどね）。マグマは冷えて固まると石になる。長い時間をかけて石が砂になると、砂鉄もこれに混ざる。この砂が川に流され、海に出て砂浜をつくった。だから砂浜には砂鉄がある。

砂浜に行ったら、砂の上の模様をよく見よう。黒い所と灰色の所がある

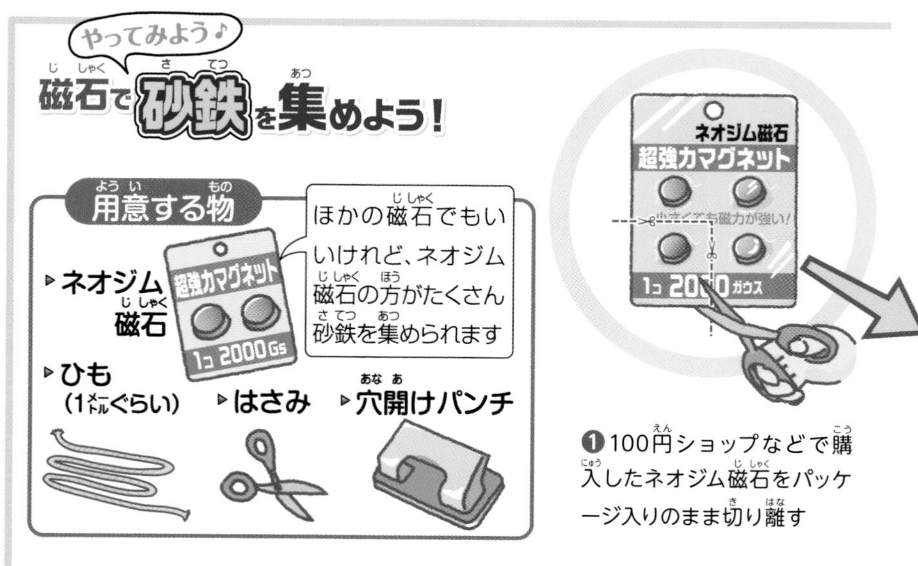

やってみよう♪
磁石で砂鉄を集めよう！
用意する物
▶ネオジム磁石
ほかの磁石でもいいけれど、ネオジム磁石の方がたくさん砂鉄を集められます
超強力マグネット
1コ 2000Gs
▶ひも（1メートルぐらい）
▶はさみ
▶穴開けパンチ
ネオジム磁石
超強力マグネット
1コ 2000ガウス

❶100円ショップなどで購入したネオジム磁石をパッケージ入りのまま切り離す

よね。重い粒は水に流され、同じ所に集まることが多い。黒い砂がある所には砂鉄がたっぷり入っている。

砂鉄は昔の人にとって、とても大事な物だった。江戸時代まで砂鉄はかなり使われており、鍋や釜、包丁、日本刀の原料となった。昔は砂鉄と木炭を原料に鉄を作っていたんだ。今は砂鉄の代わりに鉄鉱石から鉄を作っているけどね。

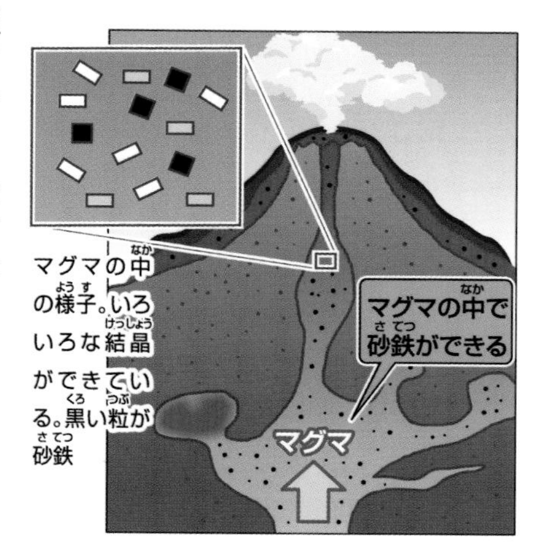

マグマの中の様子。いろいろな結晶ができている。黒い粒が砂鉄

砂鉄はとても面白い。砂鉄をスライムに混ぜてみよう。磁石を近づけるとまるで生き物のように動く。また紙の上に砂鉄をばらまき、紙の下から磁石を近づけると面白い模様ができる（模様は「磁力線」と言うよ）。磁石の種類を変えてみると砂鉄の模様も変わってくる。

ここまで書いて気が付いたけれど、砂鉄を夏休みの自由研究にするのも面白そう！　では皆さん、砂浜に行くときには磁石を持っていこう！

❷パッケージの上からパンチで穴を開け、ひもを通す

❸砂浜に行き、ひもの端を持って歩き回る

秋田の砂浜でもできるよ！

砂鉄が多い場所だと50センチ引っ張るだけで磁石にいっぱい付いてくる。少ない場所でも数メートル引っ張れば付いてくるよ。

※ネオジム磁石はとても強力なので指を挟まれないように気を付けよう。実験方法で説明した通り、パッケージから出さない方がいい。保護者の皆さんは時計に気を付けてください。ネオジム磁石は腕時計に飛んでいって張り付くことがあります。機械式の腕時計の部品が磁化すると壊れてしまうことがあるので、ネオジム磁石を扱うときは腕時計を外して遠くに置いてください。

岩脈の名所・男鹿半島
海岸の岩の板、正体はマグマ

小型無人機ドローンで上空から撮影した岩脈（林先生撮影）

割れ目に入り込んだマグマ

男鹿半島にある男鹿水族館ＧＡＯの前には不思議な形の岩がある。巨大な板のような岩がＧＡＯの前から海に向かって200メートルも続いている。この岩は板のような形のまま地下深くまで続いている。

この岩は火山の地下でできた。マグマがその圧力で地下に割れ目をつくる。同時にその割れ目にマグマが入り込んで固まるので、板のような形になるのである。

では実験をしてみよう。使う材料はスライスチーズと箸、そして箸を立

スライスチーズで岩脈実験

注意 実験は箸のとがった方を上に向けて使います。危ないので必ず大人と一緒に実験してください。

1 コップに箸を立てます。とがった方を上に向け、動かないようにティッシュなどを詰めて固定します。

2 スライスチーズを両手で持ちます。

3 チーズを両側に引っ張ります。力を入れ過ぎるとちぎれるので適度な力で引っ張ってください。

4 そのままチーズを箸の先端の上に持ってきて下げます。箸が刺さると…

5 引っ張っていく方向と直角に割れ目が入るのが分かります。

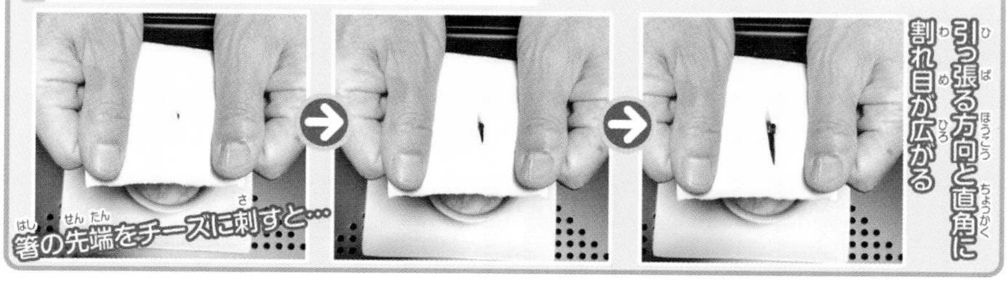

箸の先端をチーズに刺すと…
引っ張る方向と直角に割れ目が広がる

てるコップである。

始めに箸を１本、コップに立てる。ここからがちょっと難しい。スライスチーズを両手で持って引っ張る。ただし、切れてしまわないように力を加減しよう。その状態でチーズを箸の上に持ってきてそっと突き刺す。すると手で引っ張ったのに対して直角の方向に割れ目が入ってくるのが分かる。

箸は上がってきたマグマ、チーズは地下の岩盤である。岩盤には、プレートの動きによって力が加わっているので、手で引っ張る。マグマが上がってくると、地下の岩盤に割れ目が入る。実際のマグマはドロドロとした液体だ。だからこの割れ目の中に入り込む。そして固まって板のような形になるのである。

これを「岩脈」という。長い間に岩盤が削られ、地下にあった板が地面に出てくる。岩脈をつくる岩は丈夫なので、そこだけ残ってＧＡＯの海岸にある不思議な形の岩になったのである。このことは、2019年11月16日に放送されたＮＨＫの番組「ブラタモリ」でもタモリさんに説明した。

もう一度確認しよう。チーズにはどの方向に割れ目が入ったかな？　引っ張っている力の方向に対して直角の方向に割れ目が入ったね。

大陸が裂けた!

ここで話は2000万年も前にさかのぼる。それはこの岩脈ができた時代だ。そのころ日本列島は大陸にくっついていた。というか大陸の一部分だった。やがて大陸のへりに裂け目が入り始めた。同時に激しい火山活動も起こった。大陸が裂けるような地盤を引っ張る力が働いていたので、マグマが入り込んで岩脈ができたのである。

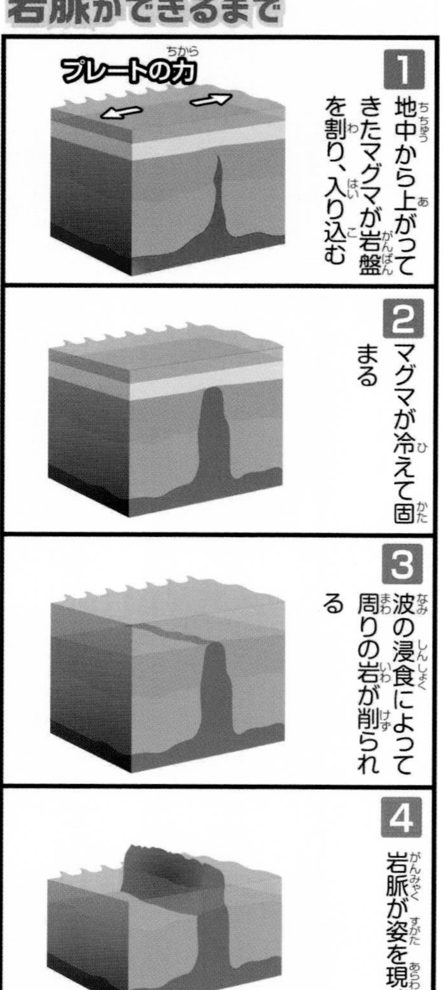
岩脈ができるまで
プレートの力
1
地中から上がってきたマグマが岩盤を割り、入り込む
2
マグマが冷えて固まる
3
波の浸食によって周りの岩が削られる
4
岩脈が姿を現す

やがて大きな裂け目ができ、それが広がって日本海ができた。大陸から裂けたかけらは日本列島になった。1500万年前ころのことである。

男鹿半島にはこのころの岩脈が100枚以上ある。そして、それらの岩脈はみな同じ方向を向いている。これだけの規模の岩脈が同じ方向を向いているのは珍しく、男鹿半島はまさに岩脈の名所である。そして、それは日本海ができた時の跡でもある。

ＧＡＯは、ホッキョクグマと岩脈とを一度に見ることができる場所だ。大きなホッキョクグマと日本海ができた時の大きなパワーの両方を感じることができる。こんな場所は他にない。さあみなさん、ぜひＧＡＯに遊びに行こう！

②
火山（かざん）
どっかーん！篇（へん）

さあ、秋田の火山に登ろう！

ある夏、僕は鳥海山の頂上近くで過ごしていた。ここはとても気持ちがいい。青空。谷の中を雲が昇ってくる。日が沈む頃には、すてきな夕方の風景。やがてたくさんの星が出てきて、どの星より明るい「国際宇宙ステーション」が空を横切る。

秋田県には六つの活火山がある。十和田湖、八幡平、秋田焼山、秋田駒ケ岳、栗駒山、鳥海山（秋田焼山以外は県外にもまたがっている）。

秋田駒ケ岳は高山植物が素晴らしい。石だらけの斜面にコマクサがかわいらしい花を咲かせている。ある時、授業で秋田駒ケ岳に登山したところ、100種類近くの植物が見つかった。火山がつくる変化に富んだ環境の中で、さまざまな植物が生きているのだ。

秋田焼山には麓にある二つの温泉のどちらかから登る。その一つである

鳥海山の頂上を取り巻く崖を夕日が照らしている（林先生撮影）

玉川温泉は、1カ所の源泉から出るお湯の量が日本一。もう一つの後生掛温泉には、温泉のお湯でゆでたおいしい「黒たまご」があるよ。

このように秋田の活火山はとても魅力的なので、夏休みにはぜひ大人と一緒に登ってみてほしい。

ただし、覚えておいてほしいことがある。「活火山は突然噴火することがある」ということだ。大抵の大きな噴火は予知できて、噴火前には気象庁から警報が出る。けれども小さな噴火については全て予知できるとは限らない。2014年に起きた御嶽山（長野県、岐阜県）の噴火では高速の石が飛んできて、63人もの方が亡くなったり行方不明になったりした。このような噴火に遭ったら、岩の陰に隠れたり、山小屋に逃げ込んだりしてほしい。すぐに走り出して行動することが大事だ。

とはいえ、突然の噴火に遭う可能性はとても低い。ざっと計算すると、活火山に100万回登ったとして、そのような噴火に1度遭うかどうか、というところだ（活火山で、そのような噴火が起こるのは数十年に1度くらいだ）。怖がり過ぎず、でも気を付けながら、大いに秋田の火山を楽しんでほしい。

鳥海山なぜしましま？

春の鳥海山を南由利原や仁賀保高原から見るのが、僕は好きだ。高原はとてもすがすがしく、気持ちがいい。そして、そこから見える鳥海山がすごい。雪がつくる「しましま模様」が見えるのだ。白い雪の部分と、黒い山の部分がくっきり分かれているのが印象的だ。

このような模様はどうして見えるのだろうか？

鳥海山は60万年も噴火を続けている活火山だ。鳥海山が噴火すると、溶岩が流れてくることがある。溶岩はネバネバしたマグマが数キロメートルも流れ出してきたものなので、うねうねと山を下り、そして固まる。数十年たつとまた噴火が起こり、別の溶岩が流れ出してくる。こんなことが何千年も繰り返されると、山の表面は溶岩だらけになる。溶岩は粘り気が強い。

春の鳥海山。白い残雪と黒い山肌がつくる「しましま模様」が美しい（林先生撮影）

だから、もっこりと数十メートルも盛り上がる。形が分かりやすいように、ソースマヨネーズで作った溶岩をお見せしよう（右の写真）。長い溶岩が山の表面を流れ、盛り上がった形がはっきりと分かるね。本物の溶岩はもっと大きいけれど、形はソースマヨネーズの溶岩とそっくりだ。

林先生特製「ソースマヨネーズ溶岩」

溶岩と溶岩の間には谷ができる。雪が降ると、その谷には何十メートルもの厚さの雪の吹きだまりができる。谷の雪は春になっても消えない。雪が残った白い所と、雪が消えた黒い所——。こうして春のしましま模様が出来上がるのだ。

実は鳥海山は、ほとんど全て溶岩でできている。あの巨大な山はたくさんの溶岩の積み重なりなのだ。鳥海山の頂上の辺りには、山をスパッと切ったように見える崖がある。その部分を観察すると、お菓子のミルフィーユのように多くの溶岩が重なっているのが分かる。

火山灰が降ると、溶岩のデコボコはならされて平らになり、しましま模様はできにくくなる。でも鳥海山は、他の火山に比べて火山灰を少ししか出さないので、しましま模様もできやすい。日本のいろいろな火山を僕は見てきたけれど、残雪のしましま模様の美しさは鳥海山が日本一だ。

さあ、休みの日には鳥海山がよく見える南由利原や仁賀保高原にピクニックに行こう。高原ではおいしいアイスクリームも食べられるし、きっと楽しいよ！

火山に登ろう！
目指すは絶景鳥海山・御浜

秋田県と山形県にまたがる鳥海山（2236メートル）。その7合目の御浜（1700メートル）から見る景色は素晴らしい。目の前には澄み切った水をたたえる鳥海湖があり、遠くは山形県の月山や秋田県の男鹿半島まで見渡せる。何より素晴らしいのは、とても涼しいことである。気温が30度を超えて暑くてたまらない夏でも、御浜まで登って行くと20度くらい。山は、高い所に登れば登るほど涼しくなる。このように素敵な所なので、御浜にはぜひとも登ってほしい。頂上まで登るよりはるかに楽だしね。

御浜へは5合目の鉾立（にかほ市、1150メートル）から登り始める。しばらくは、奈曽渓谷という深い谷のへりに沿って歩く。途中にある展望台から渓谷の中をのぞくことができる。深さは300メートルから500メートル。ナイフで鳥海山をえぐったようなものなので、この渓谷では鳥海山の中身が見える。

対岸の崖を見てみよう。植物がはがれている所に岩が見えるね。その岩が溶岩だ。よく見ると何層も重なっている。鳥海山は60万年の間、何千回もの噴火で溶岩を流しながら大きくなってきたのだが、この地層はその跡だ。鳥海山の中は、ミルフィーユのようにたくさんの溶岩の地層が重

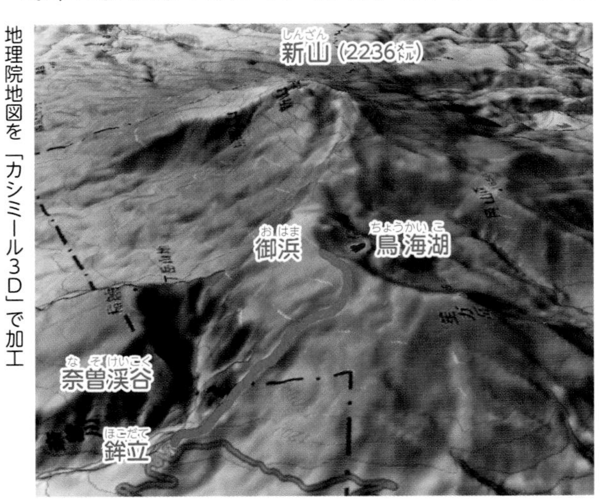

地理院地図を「カシミール3D」で加工

御浜から南側を望む（林先生撮影）

なっている。

さて、どんどん登っていこう。登山道にはたくさんの岩がある。これはすべてマグマが固まってできた岩だ。「安山岩」という。登山道にある岩はすべてこの安山岩だ。

爆発でできた湖

2時間ほど登ると目的地の御浜に到着だ。ゆっくり休憩しながら景色を眺めよう。どこでもいいので、岩に座ってお昼ご飯かおやつを食べよう。その時、あなたが座っている岩は、10万年前マグマが溶岩になってドロドロと流れてきて固まった岩である。

目の前にある丸い湖は鳥海湖。爆発でできた火口に水がたまった「火口湖」だ。よく見ると鳥海湖を中心にしてすり鉢状に大きなくぼみがあるのが分かる。このくぼみは約5000年前の大きな爆発で岩が吹き飛んでできた火口だ。

このすり鉢の斜面には、たくさんの岩がある。ほとんどの岩は、火山が爆発した時に投げ出されたものだ。直径2メートルを超すような大岩もあり、すごい爆発があったことが分かる。このような岩は「噴石」や「火山弾」と呼ばれる。こんな石が飛んでくるなんてすごいね。

盛り上ったマグマ

鳥海湖の向こうを見てみよう。みなさんの家の台所にボウルはあるかな。鳥海湖の向こうにボウルをひっくり返したような形の山が見えるね。それが「鍋森」だ。とても粘り気の強いマグマが盛り上がってできたミニ火山(溶岩ドーム)である。ミニといっても高さは90メートルもあり、30階建てのビルくらいの高さと同じだ。

遠くに月山が見えるのが分かるかな？　月山は鳥海山の60キロ南にある火山だ。だが30万年ほど前に噴火をやめてしまった火山なので、二度と噴火しない。このもっと手前、鳥海山の斜面に月山とそっくりの形の山がある。月山森だ。月山森は断層によってできた山だ(右下のイラストを見てみよう)。

鳥海山に登ると、火山の痕跡がいっぱい見つけられるね。ところで鳥海山は活火山だ。だから鳥海湖で噴火が起こる可能性はゼロではない。登山前には、念のため気象庁の火山情報をチェックし、噴石から頭を守るヘルメットや火山灰を吸い込まないためのマスクを忘れずに持っていこう。

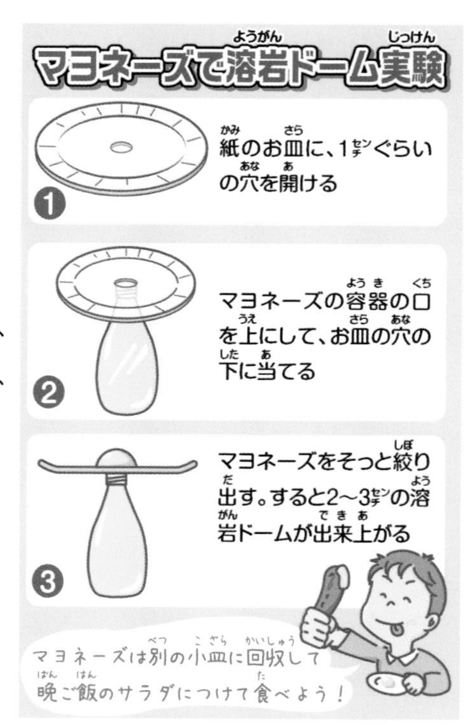

マヨネーズで溶岩ドーム実験
1
紙のお皿に、1センチぐらいの穴を開ける
2
マヨネーズの容器の口を上にして、お皿の穴の下に当てる
3
マヨネーズをそっと絞り出す。すると2〜3センチの溶岩ドームが出来上がる
マヨネーズは別の小皿に回収して晩ご飯のサラダにつけて食べよう！

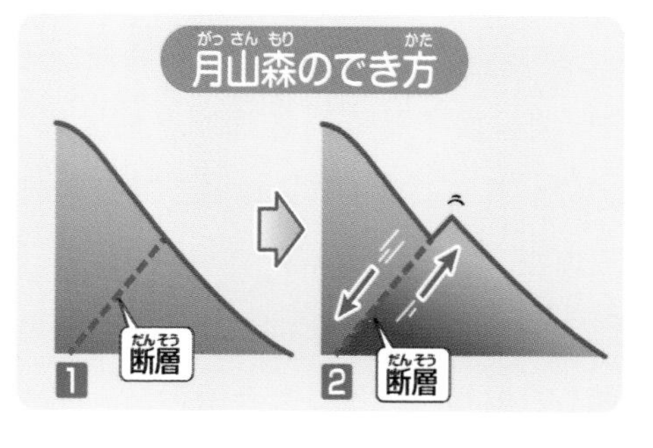

月山森のでき方
1
断層
2
断層

火山は巨大なスポンジ

当たり前だけど、夏は暑い。だから冷たい水の出る所は、気持ちがいい。そこで今回は、僕のとっておきの「冷たい水の遊び場」を紹介しよう。

秋田県の海岸沿いを南に向かい、山形県に少し入った所に「釜磯」という砂浜がある。ここは鳥海山の麓だ。周りの岩は、全て鳥海山から流れ出してきた「溶岩」である。

よく見ると砂浜のあちらこちらから水が湧いている。手を入れてみると、とても冷たい。何しろこの水は11度と温度が低い。夏でも冬でも、いつも11度。夏は特に冷たく感じる。

この水は、鳥海山から湧き出している。でも、どうして山から水が湧き出すのだろう？　それは、鳥海山が「隙間だらけ」だからだ。

台所にあるスポンジを思い出してみてほしい。スポンジに水を吸い込ませておくと、少しずつ水が流れ出してくる。同じように、鳥海山に染み込んだ水（もともとは雨や雪）も、少しずつ麓から流れ出しているのだ。

では、なぜ鳥海山が「隙間だらけ」なのかを説明しよう。鳥海山は「火山」だ。噴火によってたくさんの溶岩が流れ出し、集まって今のような形になった。

真っ赤に光ってドロドロと流れ

る溶岩は、冷えるとどうなるだろうか？　そう、溶岩は冷えて固まると石になる。でも、全体が一気に冷えて石になるわけではない。溶岩は表面から冷めていく。冷めると表面は硬くて薄い「岩の皮」ができたような状態になる。でも「岩の皮」の中はまだ熱くてドロドロしているので、中身がどんどん流れ出す。すると「岩の皮」は破れ、バリバリと割れて、ゴロゴロとした岩になる。「バリバリと岩の皮が割れてできたゴロゴロした岩」の実物が、右ページの写真である。鳥海山で撮影したものだ。

完全に冷えた溶岩をナイフで切って、断面を見たとしよう。すると一番上には右の写真のような割れた石があり、中には溶岩の塊があり、一番下にも割れた石がある。ちょうどサンドイッチのような感じだ。「溶岩」というと

ココアで溶岩実験

溶岩が流れ、表面の岩が割れる様子を実験で見てみよう！　溶岩の代わりに使うのは「練乳」。外側の「岩の皮」は、ココアだ。「練乳溶岩」の上に「ココアの岩」を振りかけ、紙皿を傾けると、練乳溶岩がゆっくり流れ出す。すると表面の「ココア岩」が割れ、崩れていくのが分かる。実際の溶岩の様子とほぼ同じだ。

使うもの

紙皿１枚、練乳、
ココアの粉、茶こし

紙皿に練乳を絞る。500円玉の大きさになるくらいに垂らそう

一つの大きな塊のように感じるけれど、実はガサガサに割れていて隙間のある部分が多いのである。溶岩は隙間だらけなのだ。

鳥海山は、このような「隙間だらけの溶岩」が集まってできている。だから、鳥海山も隙間だらけ。その隙間から水が流れ出してくる。鳥海山は、たっぷりと水を蓄えた「巨大なスポンジ」のようなものだ。地下水の研究者によると、鳥海山に染み込んだ水は、何十年もかかって湧き出てくるのだそうである。

さあ、釜磯に行ってみよう。火山の恵みである冷たい湧き水で、楽しく遊ぼう！

本物の溶岩の表面。割れた岩だらけだ（林先生撮影）
実験が終わったら、紙コップに「溶岩」を入れてお湯を注ぎ、いただきま〜す!
ココアがひび割れて砕けていく
練乳の上に、茶こしでココアの粉を薄く振りかける
練乳がすっかり隠れたらOK!
紙皿を傾けて観察しよう。

鳥海山
崩れた山頂平地に変身

今からおよそ2500年前のこと。今のにかほ市に当たる場所に住む「だいちくん」と「るみちゃん」が、丘の上でお話をしていた。鳥海山がなんだかおかしいのだ。

るみちゃん「山の上から変な形の煙が出てるよ」
だいちくん「変な感じだね。あれ!?　今、ドンドンと音がしたよね？」
るみちゃん「うん、聞こえた！」
だいちくん「うわー、大きな爆発だ。山が動き始めた」

山は煙に隠れてしまったが、大きな山の一部は巨大な土砂の塊になって滑りだした。ジェットコースターのような勢いだ。そして、ついには新幹線よりも速くなった！

るみちゃん「何か丘の下に見えるよ。巨大な生き物が動いているみたい」
だいちくん「あれは土の塊だ。大変！　森の木がどんどん倒れていく」

だいちくんとるみちゃんの名前は鳥海山・飛島ジオパークのキャラクター「森山大地くん（右）」と「海川流水ちゃん（左）」（いずれも一般社団法人鳥海山・飛島ジオパーク推進協議会提供）からお借りした。2人とも小学5年生で、大地くんは森の生き物や岩石に詳しく、流水ちゃんは海や湧水など水のサイトが大好きだよ。

突然、強い風が吹いてきてふたりは転んでしまった。砂交じりの風が激しく吹き、ふたりは地面に横たわりながら必死に耐えていた。しばらくして風も収まった。幸い、ふたりにけがはなかった。

だいちくん「怖かった。死ぬかと思った」
るみちゃん「丘の下が土だらけ。海も遠くなっているよ」
だいちくん「あれれ、鳥海山の頂上がなくなってる！」

巨大な土砂の塊は、丘の下に広がっていた。これまで海だった場所も、土砂に埋め立てられて、陸になってしまっている。鳥海山の頂上はUの字にぐいっとえぐれている……。

約2500年前の鳥海山では、想像もつかない事件が起きたことが分かるね。これは専門家の間では「山体崩壊」と呼ばれている。「山が崩れる」という意味だ。この山体崩壊で流れた土砂の量は、なんと東京ドーム2400杯分もあった。じつは火山はとても崩れやすい。たとえば秋田駒ケ岳も、岩手

山体崩壊でえぐれた跡が残る鳥海山（林先生撮影）

鳥海山の山体崩壊

県の岩手山も、（かなり昔ではあるが）大きく崩れたことがある。

では、僕たちも鳥海山の山体崩壊の跡を見に行くことにしよう。目的地は秋田県の南のにかほ市、鳥海山の麓だ。

にかほ市のどこでも良いので見晴らしの良い所に登ってみよう。鳥海山は見えるかな？　山の上をよく見てみよう。えぐれたような跡はないかな？　そこが崩れた跡である。今の山頂を取り囲むようにびょうぶのような崖が続いている所だ。

では、山から来た土砂が広がっている場所はどこだろう？　それは……そこら中、全部である。

火山のかけら、流れ山

にかほ市の土地は、平地の中に小さな山がたくさんあるのが特徴だ。山の大きさは高さ20～30メートル、長さは数十メートルくらいのものが多い。大きさはいろいろで、最大で高さが50メ

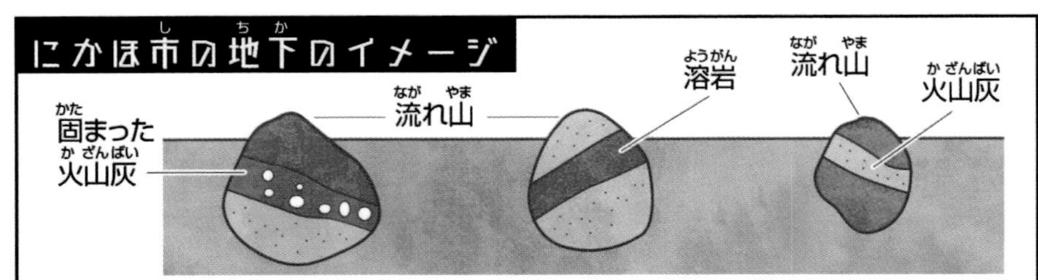

ートルくらい、長さは400メートルにもなる。このような山を「流れ山」という。

鳥海山から流れてきた土砂は流れ山だけではない。実は平地の下にも2500年前に鳥海山が崩れてできた土砂がたくさんあるのだ。大量の土砂の中にまだ壊れていない火山のかけらが残っていて、それが平地から顔を出して小山になっているのが流れ山なのである。

平地というと、秋田市や能代市のように川の働きでできたものが多いけれど、にかほ市の場合は火山の働きで平地ができている。この平地の上には、水田があり、畑があり工場がある。そしてにかほ市民のほとんどの家もこの平地の上にある。にかほ市の暮らしは、鳥海山が約2500年前に崩れた土砂の上に成り立っている。

鳥海山（奥）の麓に点々とある小さな山が流れ山だ。かつては海とつながった湖があり、江戸時代の俳人・松尾芭蕉もその風景を見に訪れた（一般社団法人鳥海山・飛島ジオパーク推進協議会提供）

広い高原、なぜできた？

由利原高原

鳥海山・飛島ジオパークの見どころの一つ。鳥海山の巨大な岩なだれが何回かにわたって堆積し、なだらかな地形が広がる高原になった。由利本荘市の東由利原や南由利原、鳥海高原などは由利原高原にある。

由利原高原から見える鳥海山（由利本荘市のゆり高原ホースパークで林先生撮影）

これは楽しい！ 僕は今、由利本荘市の東由利原にある牧場で馬に乗っている。馬が歩くリズムがくらを通して伝わってきて、「生き物の背中に乗っている」という感じがするのが新鮮だ。顔を上げると牧場の向こうには残雪の鳥海山。雪と溶岩がつくる白と黒のしましまの模様が美しい。この辺り一帯は「由利原高原」といって、鳥海山・飛島ジオパークの見どころの一つだ。この広々とした気持ちの良い高原がどうやってできたのか、お話ししよう。

由利原高原は、実は鳥海山のおかげでできた

鳥海山は巨大な活火山だ。60万年も前から、数十年に1度くらいのペースで噴火を繰り返している。

噴火は地下からマグマが上がってきて起きる。マグマは固まると石になる。噴火で出てきたマグマが溶岩になって流れ出すと、溶岩の形のまま固まっ

てしまう。噴火のたびに流れ出した溶岩が積み重なっていって、大きな火山、つまり鳥海山ができた。

でも、大きくて立派な富士山のような形の山はとても崩れやすい。砂場で山を作っても富士山のような形はすぐ崩れてしまうね。それと同じで火山も大きく立派な形になると、いずれ崩れてしまう。富士山のような形の火山はちょっとしたこと—小さな地震や小さな噴火—で崩れてしまうことがある。鳥海山も60万年の歴史の中で、何度も大きくなっては崩れるということを繰り返してきた。

では、火山が崩れるとどうなるのだろうか？

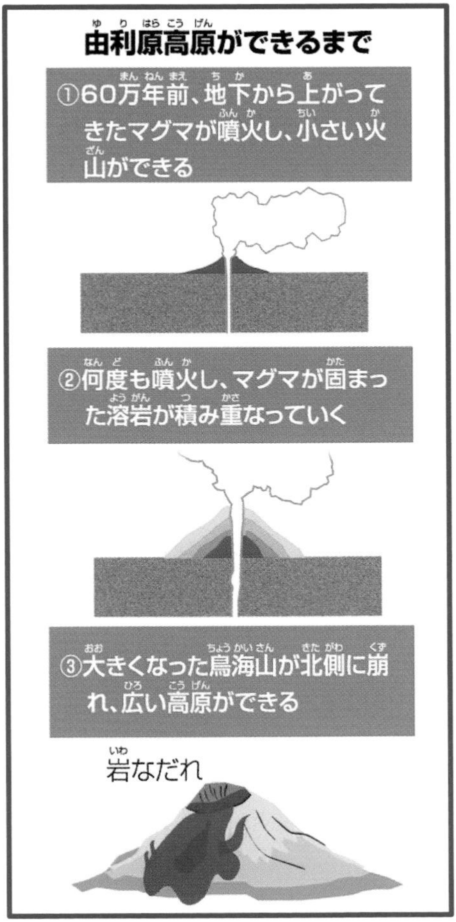

火山が崩れると、ものすごい量の土砂ができる。この土砂は不思議なことにスーッと滑り落ちるように流れ出す（岩なだれ）。例えば約2500年前に鳥海山が崩れた時には、10トントラック6億台分もの土砂が新幹線よりも速く流れたのである。ちょっと想像できないけれど、すごいことが起こったのは分かるね。このときの土砂は今のにかほ市のある土地をつくっている。

由利原高原ができるまで

①60万年前、地下から上がってきたマグマが噴火し、小さい火山ができる

②何度も噴火し、マグマが固まった溶岩が積み重なっていく

③大きくなった鳥海山が北側に崩れ、広い高原ができる

岩なだれ

険しい山地、土砂がならす

由利原高原も同じようにしてできた。由利原高原ができたのは、数十万年前（正確な時期は不明）とかなり昔のことだ。鳥海山が大きく北に向かっ

て崩れ、その土砂は北に向かった。当時の由利原はでこぼこした、険しい山地だった。土砂はそれを全部埋め立ててしまい、平らで広い高原をつくった。

もっとも平らな高原と言っても、真っ平らというわけではなく、ゆるやかなでこぼこがある。そのおかげで由利原高原には、小さな丘や池がたくさんある。

由利原高原の一帯は、とてもいい所だ。自然とふれあう場所としてとてもいい。キャンプ場やサイクリングコースが魅力的だし、馬に乗るのもおもしろい（もちろん子どもも乗れるよ）。高原の牧場で作られたジャージー牛乳やヨーグルトがとてもおいしい。

というわけで、鳥海山の恵みがたっぷりの由利原高原は、僕のおすすめだ。ゴールデンウィークに訪れるととても楽しいよ。

Before

鳥海山が崩れる前の由利原高原の地形のイメージ

After

土砂が埋まってできた現在の由利原高原

おすすめキャンプ情報

鳥海高原南由利原青少年旅行村キャンプ場（由利本荘市）は、自然たっぷりのとても広いキャンプ場だ。近くの大谷地池（池といってもすごく大きい）に行く遊歩道があり、気持ちよく散歩ができる。林の向こうに時々見える鳥海山を眺めるのがとても楽しい。自然がいっぱいなので、自由研究の材料もたくさんありそう。

大谷地池から見た鳥海山（林先生撮影）

十和田湖は活火山だ

澄み切った藍色が美しい十和田湖の中湖

十和田湖は、秋田県と青森県の境にある静かな湖だ。「十和田湖ブルー」ともいわれる澄み切った藍色の水が、美しい。

この十和田湖は、実は日本の歴史で最大の噴火を起こした火山でもある。穏やかに見えるが、湖の下地下5、6キロメートルのところには巨大なエネルギーをため込んだマグマが眠っているのだ。

N
十和田湖
中湖
御倉半島
中山半島
5km

日本史上最大の噴火が起きたのは平安時代（915年）。その噴火が起こった場所が、写真の中湖だ（注）。中山半島と御倉半島の間にあり、直径はおよそ2.5キロメートル。深さは300メートルを超える。

この噴火では、想像もできないような大量のマグマが地下から出てきた。

その量はおよそ50億トン。日本人全員に公平に分けたら、ひとり当たり40トンにもなる。大量のマグマが出てくると、地面がへこんで大きな穴（カルデラ）ができる。この穴に水がたまったのが中湖なのだ。

中湖ができた時の噴火は、次のような順番で起きたようだ

① 火山灰の雲の柱が発生　まず火山灰の入った雲の柱が、入道雲よりも高くモクモクと上がった。この雲からはたくさんの火山灰や軽石が雪のように降ってきた。

② 火砕流が起こる　次に、火山灰があちこちに流れていく「火砕流」が発生した。「火砕流」はとても熱い火山灰の雲の流れだ。この熱によって、十和田湖から25キロメートルのところまで焼け野原になった。

③ 広い平地ができる　火砕流に含まれていた軽石や火山灰はやがて水と混じり、ドロドロした「火山泥流」となって米代川を流れ下り、日本海に流れ込んだ。この時の軽石や火山灰は米代川沿いにたまり、広い平地をつくった。大館市や北秋田市の人々の多くは、915年に十和田湖が作った平地の上で暮らしている――。

こうして中湖はできたのだが、今から1万5千年前には、もっと大きな噴火があった。この時に誕生したのが「大きなカルデラ」、つまり十和田湖そのものなのである。

注　十和田湖の915年噴火の発生地点と発生年についてはいくつかの説があります。

風のない日は鏡のように穏やかな表情を見せる十和田湖だが、実は……

日本史上最大!! 十和田火山噴火
火山泥流から曲げわっぱ

大館市の伝統工芸品・大館曲げわっぱのお弁当箱は素晴らしい。軽くて、美しくて、丈夫だ。僕は曲げわっぱのお弁当箱を使い続けて30年にもなるけれど、まだまだ壊れそうもない。

この間、曲げわっぱ製造販売の柴田慶信商店（大館市）で、曲げわっぱ作りを体験してきた。木づちで底板を入れたり、かんなで底を削ったり、桜の皮でつなぎ目をとじたり。曲げわっぱ作りは大変だ。丸い形になっている段階から作り始めても、完成まで2時間。伝統工芸士の方から一つ一つアドバイスを受けながら（そして時々手伝ってもらいながら）、やっと完成した。出来上がったのは、白木の曲げわっぱのお弁当箱。朝入れておいたご飯が、

林先生が作った曲げわっぱの弁当箱

道目木遺跡から見つかった平安時代の曲げ物（大館郷土博物館所蔵）

お昼には驚くほどおいしくなっている。

現代でも人気の曲げわっぱだが、実は平安時代の遺跡から同じような物が掘り出されている。大館市の道目木遺跡から1999年、曲げ物が見つかった。曲げ物とは薄くした杉などの板を曲げて作った容器のことで、曲げわっぱも曲げ物の一種だ。現在は大館郷土博物館に展示されている。杉の板を曲げ

て作ったところや、桜の皮でとじられているところが現代の曲げわっぱとそっくりだ。

この曲げ物、実は噴火によって埋もれていたものだ。平安時代の915年（**注1**）に起きた十和田湖の噴火（**注2**）はすごかった。何しろ、記録に残る日本の噴火の中で最大だったのである。噴火によって出てきたマグマの量は2.1立方キロメートル。大したことがない数字に見えるが、これはものすごい量である。東京ドーム（約120万立方メートル）を満杯のマグマで満たしたとしよう。2.1立方キロメートルはその1750倍である。全く想像もつかないほどの大変な量だ。

日本史上最大の噴火を起こした十和田湖

噴火では火山灰が空高く上ったり、火砕流という恐ろしい現象が発生したりした。噴火で出てきたマグマはほとんどが軽石や火山

1 十和田湖が噴火。噴煙が上がり、軽石が降る
2 火口から火砕流が発生
3 火砕流をつくっていた軽石や火山灰と水が混じり合い火山泥流となる
4 川沿いに火山泥流が流れていく

灰になり、やがて「火山泥流」になった。

火山泥流は、軽石や火山灰と水が混じり合い、ドロドロになって遠くまで流れていく現象である。十和田湖の噴火による火山泥流は、米代川を流れ下り、最後には能代市から日本海に流れ出した。このようにして、火山泥流の土砂は米代川沿いの低い所を広く埋めてしまった。

十和田湖から約35キロも離れている大館市の道目木遺跡で、火山泥流で埋もれた家が見つかった。その家の中から曲げ物が発見されたのである。家は火山泥流の1.5メートルもの厚さの土砂の中から発見されている。

915年のあの日……

これは僕の想像だ。

915年のその日、上流から流れてきた火山泥流を見て、その家の人たちはとても驚いた。大事な曲げ物を持っていく時間もなく、慌てて高台に向かって逃げた。きっと家が泥に埋もれてしまってぼうぜんとしたことだろう——。

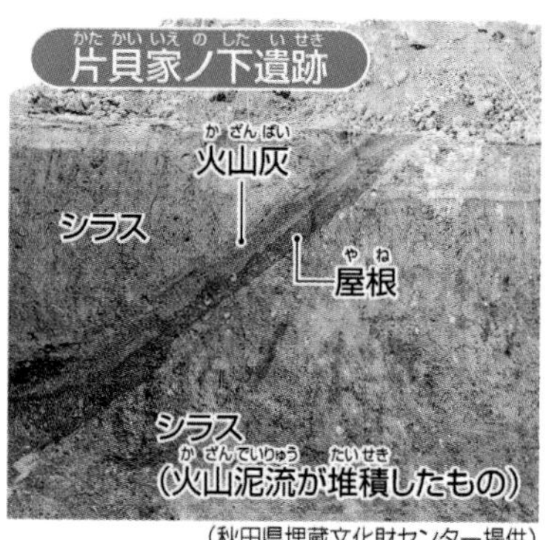

(秋田県埋蔵文化財センター提供)

このように米代川沿いには、十和田湖の噴火による火山泥流で大量の土砂が流れてきたために、たくさんの家や館が埋もれている。北秋田市の鷹巣中学校の敷地から出土した胡桃館遺跡、平安時代の屋根が見つかった大館市の片貝家ノ下遺跡などが有名だ。十和田湖の火山泥流で埋もれたたくさんの遺跡は、まさに日本の「ポンペイ」(注3)というべきだろう。

注1　最近、噴火年代が915年よりも少し後という説が出てきて注目されている。

注2　前の章で書いたように、十和田湖は火山だ。十和田火山はとても大きな噴火を起こしてきたが、ほかの火山と違ってめったに噴火しない。平安時代の噴火以来、一度も噴火していない。でもいつかは必ず噴火が起きる。万が一に備えて秋田や青森、岩手の3県を中心に、防災計画が作られつつある。

注3　イタリアのナポリ近郊にある古代ローマ時代の遺跡。西暦79年のベスビオ火山の噴火によって都市がまるごと埋もれてしまった。

神秘！　奥入瀬渓流

奥入瀬渓流に生えているコケ（林先生が虫メガネとスマホで撮影）

前にも書いたように、十和田湖は活火山である。この湖から流れ出しているただ一つの川が、奥入瀬渓流だ。深さ100メートル以上のU字形をした谷の中に、小さくかわいらしいその流れがある。コケが多く、岩や倒木だけではなく橋の手すりにまでコケがびっしりと生えている。流れに沿ってコケ庭が続いているような、とても日本的な景色だ。

実はこの風景は、十和田湖がつくり出した「特別のもの」だ。十和田湖がどうやってこの深い谷をつくったのか、新潟大学の片岡香子教授の研究に基づいて説明しよう。

今から1万5千年前のこと、十和田湖は巨大な噴火を起こした。その時に噴き出した軽石や火山灰は、今より浅かった奥入瀬渓流を埋め、ダムのように水をせき止めてしまった。このため十和田湖の水位はだんだん上がっていった。80メートルほど湖の水面が高くなったと考えられている。

しかし、水をせき止めていたのは「軽石」と「火山灰」である。数年もすると、この天然のダムは壊れてしまった。そして、大洪水が起こった。60億トンの水が十和田湖から一気に流れ出した。その量は1秒間に30万トン（注）。東京ドームが4秒で満杯になる、ものすごい量の水である。

この想像もできないような大洪水で川底は削られ、奥入瀬渓流はそれまでよりもずっと深くなったのだ。

本流の谷が深くなると、脇を流れていた支流の沢は滝になる。たくさんの滝からの水しぶきで、空気は湿り気が多くなる。谷が深くなると日もあまり当たらず、乾燥しにくい。こうしてコケにぴったりの、湿り気たっぷりな環境が出来上がったのだ。

このように、奥入瀬渓流の素晴らしい風景は十和田湖がつくったものなのである。ぜひ一度奥入瀬渓流の景色とコケを見に行ってほしい。コケを観察するときには虫メガネを使うと、小さな森のような世界が見えて面白い。

実は、僕はタレントのタモリさんをここでガイドしたことがある。その時、タモリさんにこう尋ねられた。「この谷が削られて出た土砂は、どこに行ったのですか?」。これは良い質問! さすがタモリさん! 土砂の行き先は、青森県の十和田市のあたりの台地だ。十和田市がある台地は奥入瀬渓流の下流にあり、この時の大洪水の土砂がたまったのである。十和田市の市民のほとんどはこの大地の上に住んでいる。十和田湖は、十和田市民の住む土地までもつくったというわけである。

注 ただし推定値の中の最大の値。

奥入瀬渓流の本流に落ちてくる「雲井の滝」(林先生撮影)

奥入瀬渓流の流れ(林先生撮影)

もりもり隆起300万年！

世界自然遺産 白神山地はどうできた？

白神山地。きっと皆さんは、一度はその名前を聞いたことがあるだろう。東アジア最大の広いブナの林で、秋田県から青森県にかけて13万ヘクタールもの広さがある。白神山地とその周りの地域には、とても豊かな自然が広がっている。この広大な山地の一部が、国連教育科学文化機関（ユネスコ）の世界自然遺産に登録されている。そこにある原始的で広大なブナの林は「人類の宝」である。今回は、この白神山地がどうやって生まれたのかお話ししよう。

どこを見てもブナ、ブナ、ブナ。この中にイヌワシ、クマゲラ、ツキノワグマ、ニホンザルなどたくさんの生き物が暮らしている（二ツ森から撮影・八峰白神ジオパーク推進協議会提供）

白神山地

秋田県北西部から青森県南西部にまたがる山地の総称で、広さは13万ヘクタールに及ぶ。このうち原生的なブナ林で占められている1万6971ヘクタールが、1993年に国連教育科学文化機関（ユネスコ）の世界自然遺産として屋久島（鹿児島県）とともに日本で初めて登録された。世界遺産のエリアは、核心地域とその周りにある緩衝地域に分かれていて、核心地域に入るには特別な許可や届け出が必要だ。

大きな岩の塊

世界自然遺産の白神山地を見るのに大変良い場所がある。秋田県の八峰町から入ることができる二ツ森（1086メートル）である。登山口から50分ほど登ると二ツ森の山頂に着く。そこに立つと、広大な白神山地を見渡すことができる。

実は、二ツ森は巨大な岩の塊の一部なのである。東西約2キロ、南北約3キロもある巨大な岩だ。この二ツ森をつくる岩はマグマが固まったもので、石英閃緑岩という岩石でできている。

そのマグマは、深い海の、さらに地下深く（多分数キロもの深さ）にあった。熱くてどろどろにとけたマグマはゆっくりと冷えた。冷えるに従って、さまざまな結晶が生まれ、大きくなり、ついにはマグマ全部が固まって岩になった。二ツ森の巨大な岩が誕生したのである。550万年も前のことである。

海底の岩がてっぺんへ

深い海のさらに地下深くにあった岩の塊が、なぜ今は山のてっぺんにあるのだろう？

それは「隆起」が起こったからである。隆起とは、地面が盛り上がって、

二ツ森のマスコット誕生！

八峰白神ジオパークには「ふたつ森お」「岩きち」「果じゅ実」というマスコットキャラクターがいる。このうち「ふたつ森お」（左のイラスト・八峰白神ジオパーク推進協議会提供）は二ツ森をイメージしたキャラクターだ（名付けたのは八峰町の小学生のみなさん）。実際の二ツ森になぞらえると年齢は550万歳、身長は1086メートルの元気な男の子、というところだろうか。ちなみに地球を46歳とすると、ふたつ森お君は生後3週間の赤ちゃんで、大変若い。

だんだん高くなることだ。東北地方はプレートの力によって東西にぎゅうぎゅうと押されている。このような力が働くと、場所によっては地面全体がもりもりと盛り上がってくる。白神山地もこのような場所で、３００万年ほど前からだんだん盛り上がってきた。

土地が高くなると、海底にあった岩は、海面から顔を出し、陸になる。土地はさらに盛り上がり、ついには大きな山ができる。高い山は、水の働きなどでどんどん削られていく。二ツ森の周りの岩は削られてしまい、丈夫な二ツ森が山のてっぺんになった。こうして二ツ森は、白神山地を見渡すことのできる展望台となったのである。

二ツ森ができるまで

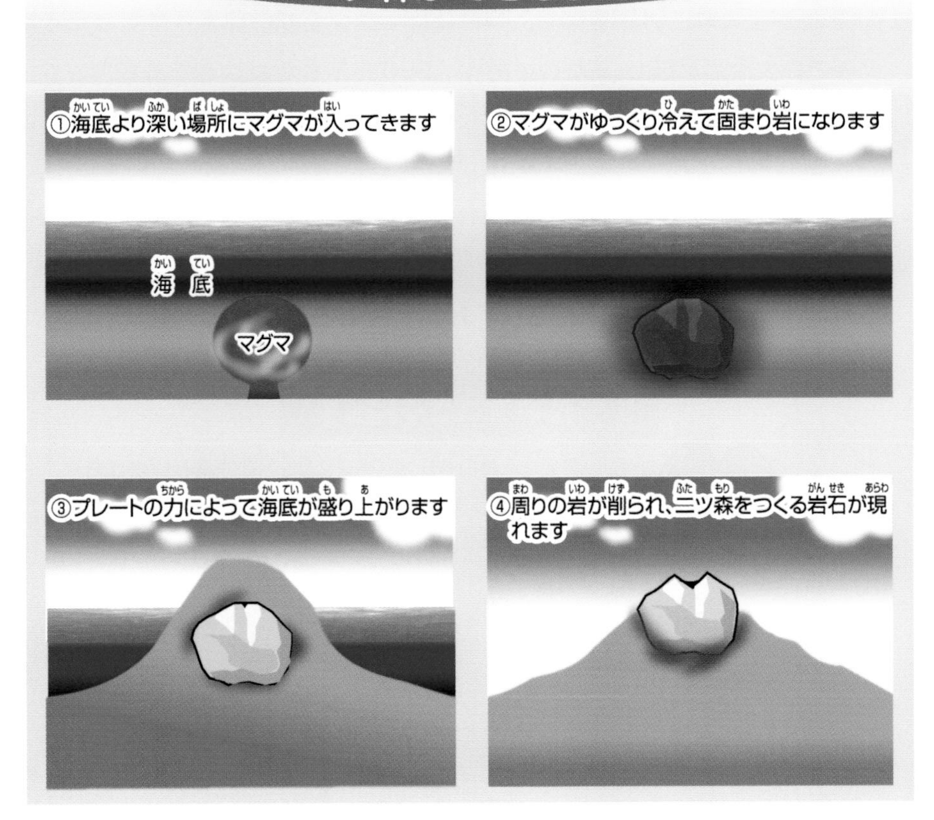

①海底より深い場所にマグマが入ってきます
海底
マグマ
②マグマがゆっくり冷えて固まり岩になります
③プレートの力によって海底が盛り上がります
④周りの岩が削られ、二ツ森をつくる岩石が現れます

水に削られ険しい山に

盛り上がったのは二ツ森だけじゃない。白神山地も隆起によって誕生したのである。

白神山地には二ツ森のように硬い岩石と、海底の泥が固まってできた「泥岩」という削られやすい岩がある。硬い岩石は高い山に、泥岩は谷になりやすい。そのため白神山地は高いだけではなく、高低差がものすごくある険しい地形になった。

このような険しいところから、樹木を切って運び出すのはものすごく大変だった。そのため、白神山地には広大なブナ林がそのまま残されたのである。世界自然遺産・白神山地をつくった地球の力についてお分かりいただけたかな？

青森・十二湖の誕生
地すべりがつくった絶景

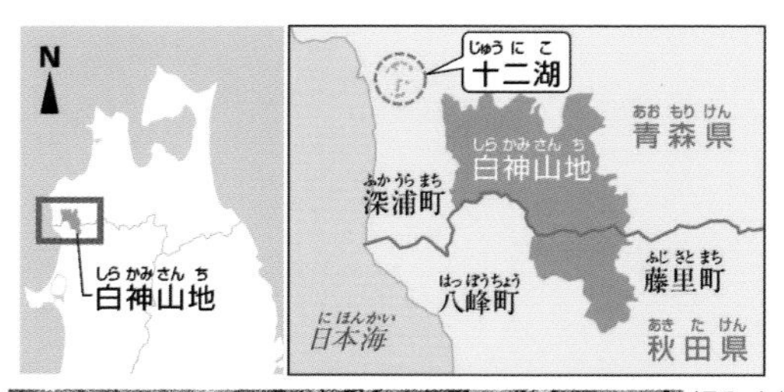

十二湖の一つ「青池」（深浦町提供）

秋田県と青森県の県境を越えてすぐのところに、十二湖というとても素敵なところがある。ブナの森の中のトレッキングコースを歩いて回ることができ、とても「森」を感じて楽しめる。十二湖と名前がついているように湖が多い（実際には12よりもずっと多い33もの湖がある）。王池、鶏頭場の池、沸壺の池、長池など、大きさや水の色が違うとても個性のある湖を楽しめる。その中でも、特に「青池」がおすすめだ。小さくて深く、地下水がそのまま池になっていて、水がどこまでも透明だ。そのおかげで水がとても青く見える。

この十二湖はどのようにしてできたのだろうか。そのキーワードは「地震」と「地すべり」だ。

江戸時代、十二湖のある辺りで大変大きな地震が起きた（1704年の羽後・津軽地震・注1）。熊本地震（2016年）や阪神大震災を起こした兵庫県南部地震（1995年）と同じマグニチュード7クラスの大きな地震だ。この地震によって山地が大きく揺すられた。地震によって山地が揺すられると、斜面が大きく崩れることがある。十二湖の上にある山はこの地震で崩れ、土砂が滑り落ち、その土砂は2キロも西に広がり、広い土地を埋め尽くした。

崩れた土砂の量は、東京ドーム90杯分以上。ものすごい量の土砂だ。地すべりの土砂が埋めたところは小さなでこぼこのある、全体としてはなだらかな地形になる。地すべり地は水も豊富なので、少しへこんだところは水がたまって池になった。このようにしてなだらかで変化のある十二湖の地形が出来上がったのである。

十二湖の周辺は見事なブナ林となっている。実はこれも地すべりと関係している。地すべりでできたなだらかな土地にはブナ林ができやすいのである。

右側の崩山の斜面が地震によって崩れ、左側（西側）にたまり、でこぼこが多く、湖のたくさんある十二湖の地形ができた（国土地理院データをiPhoneアプリ「AR地形模型」で加工して作成）

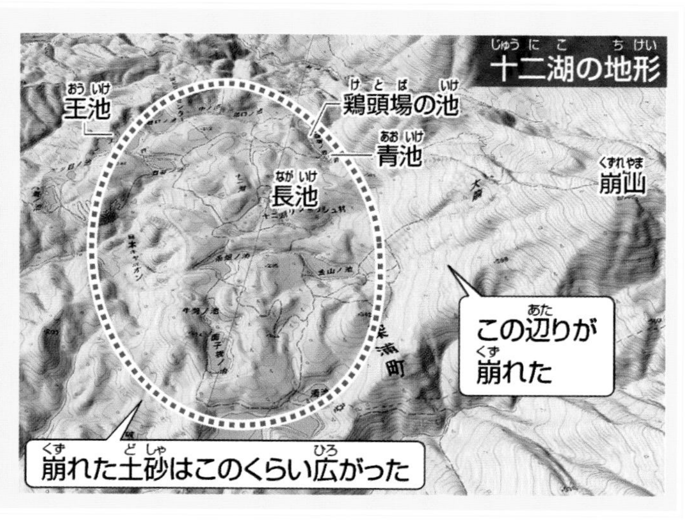

近くには白神山地

十二湖のすぐ近くには白神山地がある。みなさんは「世界遺産」という言葉は聞いたことがあるよね？　秋田県と青森県にまたがる白神山地は1993年に日本で最初の世界自然遺産に登録された。白神山地は東アジアで最大のブナの林で、アオモリマンテマなどの珍しい植物や鳥のクマゲラなど、いろいろな生物がいる。そのために白神山地は世界遺産、つまり人類共通の宝（**注2**）として認められたのである。

実は白神山地のブナ林も主に地すべり地の上にできている。白神山地には

上空から見た白神山地。二ツ森の南西8キロ付近（藤里町）よりセスナ機から撮影（林先生撮影）

十二湖と同じような地すべりがものすごく多い。地図で見るとほとんど地すべりで埋め尽くされているように見える。このような地すべりでできたなだらかな土地は立派なブナ林になっている。

ブナ林を見に行こう

白神山地に入るためには特別な許可が必要で、山歩きのベテランでなければ危険だ。でも十二湖では、白神山地と同じように、地すべり地の上にブナ林がある様子を見ることができる。みなさんも、ぜひ十二湖に行って、白神山地と同じブナ林を感じてほしい。さまざまな生き物がいるので、ガイドさんに案内してもらうと自分たちだけで歩くよりも何倍も面白いと思う（注3）。

注1　最近の研究ではもっと古い時代（1440年から1660年の間）の地震でできたという説が有力になりつつある。

注2　正確には「顕著な普遍的価値」を有するもの

注3　秋田県内では八峰町の留山でも地すべり地の上のブナ林を楽しめる。ここはガイドさん（有料）が同行しないと入山できないので、八峰町白神ガイドの会（白神ふれあい館TEL0185-70-4211）まで電話してみよう。ここのガイドの方にお願いすると十二湖も案内してもらえるよ

砂と粘土で地すべり実験!

地すべりが起こる様子を「ユレオ」(※)という実験装置で見てみよう。地震によって山が崩れる感じが分かるよ。(地すべりなどの土砂災害は地震の時にも起こるけど、むしろ大雨が降った時に起こることの方が多い。梅雨や台風のシーズンは気を付けよう)

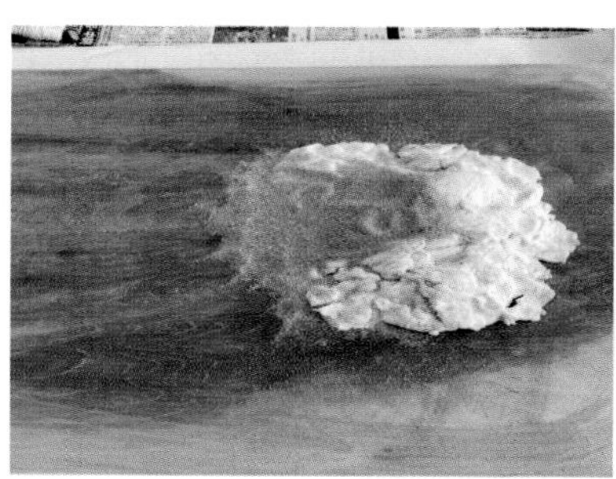

❶ユレオの上に紙粘土で山を作る。崩れる部分を砂で作る。砂にはほんの少し、霧吹きで水をかけておく。

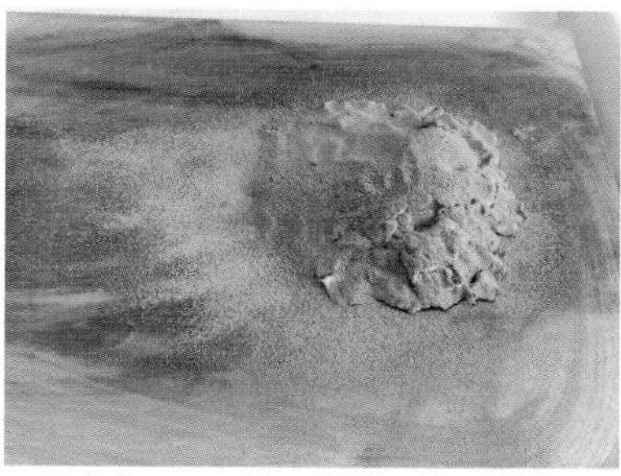

❷出来上がった山の模型の上に緑色のチョークをかける。割れ目の様子がよく見えるようにするため。

❸ユレオを手で揺する。激しく揺すると山が崩れる。

❹崩れた部分の拡大写真。でこぼこの多いなだらかな地形ができている。

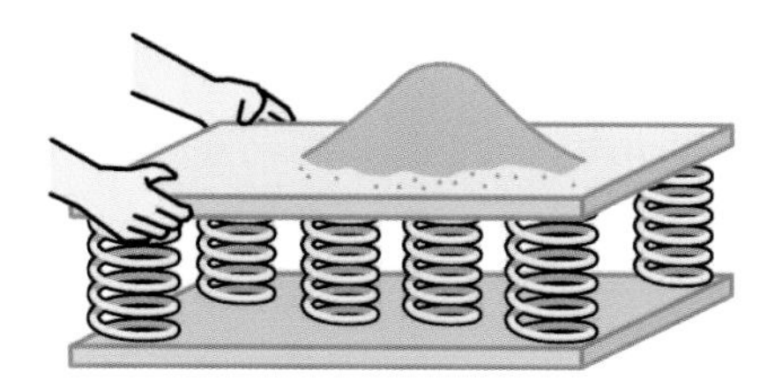

※「ユレオ」は、ベニヤ板2枚をバネでつないだ簡単な構造で、上の板に山の模型を作り、手で揺すって地震を再現する。

身近にあるよ！大昔の海底火山

東京から南に900キロほどの場所に、西之島という島がある。島の写真を見ると真っ黒だ。これは溶岩。火口から出てきたマグマが固まって石になったものだ。

西之島。（海上保安庁「海域火山データベース」より）

海中の西之島のイメージ

西之島は2013年に噴火を始め、2023年になっても、小規模な噴火が確認されている。このように、西之島はとても活発な活火山なのである。島はだんだん大きくなっているので、日本の面積も少しずつ増えているということになる。

西之島の火山は、海の中にもずーっとつながっている。海の水がなければ、西之島が巨大な火山の一部ということが分かる。つまり、海底火山のてっぺんの部分が、ちょっと海の上に顔を出したのが西之島なのである。

秋田県にも海底火山がある。といっても、噴火したのは数百万年前という想像もつかないくらい古い話だ。

「大曲の花火」は全国有数の花火大会だ。80万人もの人が集まり壮大な花火が打ち上げられる。姫神山など西側にある山々がシルエットになって、ますます花火が魅力的に見える。夕方、花火の煙が姫神山にかかると、火山から噴煙が出ているかのようだ。

この姫神山はかつて海底火山だった。数百万年前、大曲の辺り（と言うか、秋田県のかなりの部分）がまだ海だったころのことだ。海底火山をつくる岩石は、しっかりしていて壊れにくい。長い時間をかけて次第に地面が盛り上がり、陸になる。海底火山の周りの軟らかい泥の岩は水の働きで削られていく。でも、海底火山は丈夫なので、削られずに残って山になるのである。昔の海底火山が、大曲の花火の背景をつくっているのである。

大曲の花火会場と姫神山。かつての海底火山のシルエットが美しい（林先生のご家族撮影）

オススメ！　溶岩がつくった絶景

●八郎潟町・三倉鼻公園

八郎潟町の三倉鼻公園も古い海底火山だ。崖かと思うような坂道を上がっていくと、急に見晴らしが良くなる。ここからは八郎湖を見渡すことができる。広々とした風景の好きな方はぜひ訪れてほしいところだ。正岡子規（明治時代の俳人・歌人）などの多くの文化人が訪れたことでも有名だ。ここも海底火山が素晴らしい風景をつくっているのである。

●由利本荘市・新山公園

由利本荘市の新山公園も古い海底火山である。山の上の公園を散歩すると、あちらこちらに岩がある。その岩はマグマが固まりながらパリパリと割れた岩なのである。これらの岩は隙間だらけで、そこから水が出る。そのため新山公園の周りには湧き水が多い。

●八峰町・白瀑

八峰町の白瀑神社にも古い海底火山がある。この神社は周りを低い山に囲まれた奥まった所にあり、神秘的な感じがする。白瀑はその奥にある。丈夫な岩からたくさんの水が流れ落ちてしぶきが上がっている。そのおかげで夏に行くと、とても涼しくて気持ちいい。

この滝をつくる丈夫な岩は古い海底火山の跡である。滝をつくる岩は、かなりパリパリと割れている。海底火山が神社のある不思議な空間をつくったのである。

白瀑。向かって左側がパリパリ溶岩

パリパリ溶岩、ガラスで実験！

海底火山をつくるパリパリ溶岩ができる様子を実験でお見せしよう。実験では、熱い溶岩の代わりに熱いガラスを使う。ものすごく細かな鋭いガラスができる。**けがをしたり、やけどをしたりする危険があるので、家では絶対にやらないように。**

【実験】

トンボ玉作り用のガラスの棒をガスバーナーで熱する。先が少し溶けてきたら、水を入れたビーカーに入れる。すると溶けたガラスが冷えて固まる。たくさんの割れ目が入り、そこからガラスのかけらがパラパラと落ちていく（写真）。

この実験と同じように、水の中でパリパリと熱い溶岩が割れ、そのかけらが集まって、新山公園や白瀑神社の岩石ができたのである。

火山灰、日本を覆う
9万年前の阿蘇山噴火

今回は大昔の日本で起こった巨大な噴火についてお話ししよう。今から9万年も前のこと。九州にある阿蘇山ですごい噴火が起きた。大爆発が起きて大量のマグマが噴き出し、それが軽石や火山灰となって上空高く昇ったり、周りに流れ出したりした。

大量に噴き出してきた火山灰や軽石は、火山ガスと一緒になって濃い雲のようになる。そして、それはものすごく流れやすい。これが「火砕流」だ。火砕流は、新幹線並みの速度で阿蘇山から四方八方に流れ出した。火山灰や軽石は、噴火のすぐ前までマグマだったのでものすごく熱い。数百度はあったと思われる。火砕流に襲われると虫1匹生き残れない。火砕流は、火山噴火の中でも最も恐ろしい現象なのである。

阿蘇山の大噴火で噴き出したマグマは想像を超える量だった。だから、マグマが固まってできた軽石や火山灰もものすごい量だった。この噴火を、最近の日本の噴火と比較してみよう。2014年の御嶽山の噴火は戦後最大の火山災害となった。この噴火で出てきた火山灰の量は、100万トンぐらいと考えられている。ところが、9万年前の阿蘇山で出てきた火山灰（や軽石）の量は、御嶽山の噴火の約百万倍もあったのである。

噴煙を上げる阿蘇山中岳（阿蘇市ホームページより）

秋田県の南には鳥海山という立派な火山がある。阿蘇山で一気に出てきた火山灰や軽石を積み上げると、鳥海山と比べてどのくらいなのだろう？　計算してみるとものすごい。鳥海山と同じ大きさの山が十数個もできてしまうのである。なかなか想像できないと思うけれど、これが本当のことなのである。

噴火が終わってみると、阿蘇山の周りの半径数十キロから百数十キロの範囲は火山灰で埋め尽くされた。例えば、阿蘇山から東に50キロも離れた豊後大野市では、この時の火山灰が70メートルもの崖になって残っている。阿蘇山の周り（というか九州の北部）は、とても広くて大きな火山灰の砂漠になったのである。

火山灰や軽石のことを「シラス」と呼ぶ。シラス台地という言葉を習った

超巨大！阿蘇山の大噴火
1 9万年前 阿蘇山で大噴火が起きる
大噴火
阿蘇山
（現在の熊本県）
九州
2 火砕流が発生し、阿蘇山の半径数十キロから百数十キロが火山灰に埋め尽くされる
3 空高く舞い上がった火山灰が西風に吹かれ、広がっていく
西風
4 日本列島が火山灰の雲で覆われ、秋田や北海道にも降り積もる
北海道
秋田
熊本
火山灰の雲で覆われる

ことがあるかな？

シラス台地はこのように超巨大な噴火によってできた。またこの噴火の結果、阿蘇山には巨大なくぼ地である「カルデラ」ができあがっている。

安田海岸は火山灰交差点

男鹿半島にある安田海岸（男鹿市）は、僕がとても気に入っている砂浜だ。崖の麓に砂浜が広がっている。

僕が主に見るのは海ではなく、反対側の崖である（※危ないから決して登ったりしないでね）。砂や泥でできた地層には、９万年前の阿蘇山の噴火の火山灰が残されているのだ。

安田海岸で見ることができる阿蘇山の別の噴火の火山灰の地層。約25万年前の噴火の際に飛んできた（林先生撮影）

９万年前の阿蘇山の噴火の火砕流からは、火山灰が空高く舞い上がった。その火山灰は、上空の西風に吹かれて遠く現在の秋田県まで飛んできた。そしてここにたまって火山灰の地層をつくったのだ。この火山灰の地層が、安田海岸の崖の上の方で見つかった。阿蘇山は何度も噴火しており、25万年前に噴火した時の火山灰も安田海岸で見つかっている（上の写真）。

実は、安田海岸は地質学者や火山学者には大変有名な所だ。阿蘇山の火山灰だけではなく、北海道の洞爺湖という火山からやってきた火山灰、さらには北朝鮮と中国の国境にある白頭山火山からやってきた火山灰まである。男鹿半島には、ほかにもさまざまな火山の火山灰が飛んできて地層をつくっている。男鹿半島は「火山灰の交差点」のような場所なのである。

阿蘇山（奥）とカルデラ

ドローンを使って上空から撮影した男鹿市の安田海岸（林先生撮影）

漂流1000キロ、軽石の旅

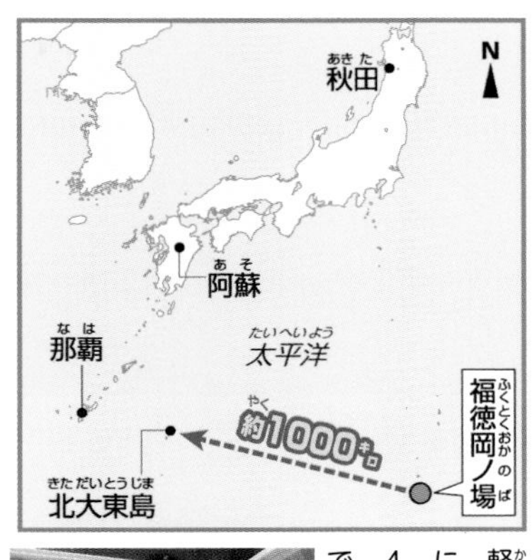

北大東島は、コバルトブルーの美しい海に囲まれた沖縄県の島だ。沖縄本島にある那覇の東、約370キロ沖合にある。2023年9月4日ごろ、この島にたくさんの軽石が流れ着いた。軽石は火山の噴火、それも大噴火で出てくるものだ。でも、北大東島の近くに火山はない。いったい、このたくさんの軽石はどこから来たのだろうか？

軽石は中に多くの穴があり、水に浮く不思議な岩石だ。写真は4万6千年前の支笏火山の噴火で出てきた軽石（林先生撮影）

軽石が流れ着く1カ月ほど前、北大東島から東におよそ1000キロも離れたところで大きな噴火が起こった。その噴火は福徳岡ノ場という海底火山が起こしたものだ。噴煙が、高度1万6千メートルもの上空まで上がる本格的噴火である（21世紀に日本で起きた最大の噴火らしい）。

あまり大きなニュースにはならなかったが、火山学者は注目した。噴煙といっても、ただの煙じゃない。中にはたくさんの軽石と火山灰が入っているのである。どうやらこの軽石が1000キロも漂流して北大東島にたどり着いたのである。

石なのに水に浮く

軽石はその名の通りとても軽い（正確にいうと、密度が低い）。硬い石なんだけれど中にはたくさんの穴が開いている。上の写真のように水に浮かんで

福徳岡ノ場近くで確認された噴煙（黄色の矢印）。噴煙の中は火山ガスとともにたくさんの火山灰や軽石が入っている（海上保安庁撮影の写真を加工）

とても面白い。

噴火で上空高く噴き上がった軽石も、いずれは海に落ちてくる。軽石は軽いために海の上にプカプカと浮く。そして集まって海の上で大きな塊になる。たいへん大きな塊で、衛星からもその姿が見えるくらいだ。そのような塊が海流に乗って遠くまで漂流してきたのである。

福徳岡ノ場近くの海の様子。左下に見える茶色の部分が、海の上に軽石が固まって浮いているところ。ぱっと見ると陸に見える（海上保安庁撮影の写真を加工）

21年の福徳岡ノ場の噴火でできた新しい島。これまでも何度か島ができたが、波で削られてなくなっている。この新島は軽石と火山灰でできているので、2022年にはなくなってしまった。(海上保安庁撮影の写真を加工)

秋田に阿蘇の軽石

実は古い時代に秋田県にも漂流した軽石がたどり着いたことがある。秋田大学の白石建雄名誉教授は、九州の阿蘇火山が9万年前に超巨大噴火を起こした時の軽石を、男鹿半島の地層で見つけた。この軽石も、約1000キロ海流に乗って秋田にたどり着いたものだ。

この原稿を書いているうちに、北大東島から約370キロ西の沖縄本島に軽石がたどり着いたというニュースが届いた。海岸がたくさんの軽石で埋まっている。一度高波が来れば、軽石はたちまち流されてしまうだろう。でも、高波の後でもビーチ近くの木の根元などにはきっと軽石が残っていると思う。

その後この軽石は秋田県の海岸にもやってきた。2023年11月にはすでに海岸に軽石が流れ着いていた。また、ぼくの部屋の軽石は2年経っても水に浮いている。もしかすると太平洋を1周して日本に戻ってくる軽石もあるかもしれない。

火砕流はすごい

火山の上に雲のようなものがわきあがった。みるみるうちにその雲は崩れてしまい、山のふもとに向かって、流れ出した。谷の中を流れ下っていくその雲は、とても熱い。通り過ぎた後、そこにあった森の木はぜんぶ倒れている。しかも、燃えている。

こんなにたいへんなことが起こるのが火砕流である。火砕流は、火山灰や軽石と熱いガスが混じり合って山を流れ下ってくる現象だが、とにかくものすごい噴火なのである。

火砕流には「あぶない、あつい、はやい」という標語がぴったりだ。

「あぶない」 高温の火砕流が通り過ぎた後には、虫一匹生き残っていない。あらゆる火山の噴火の中で、火砕流は一番危険なのである。

「あつい」 火砕流はとにかく熱い。ただの雲に見えるが、中は数百度の高温だ。そのせいで、火砕流にはいっている木は、炭になっている。もちろん、家も自動車も焼けてしまう。

「はやい」 火砕流はとにかく速い。自動車並みかそれ以上のスピードで流れ下ってくるので走って逃げても、絶対に逃げ切れない。自動車で逃げても逃げ切るのはほとんど無理だ。

こんな危険な火砕流から身を守るためにはどうしたらいいだろうか? 飲みこまれたら終わりだし、走って逃げても逃げられない。これは困ったね。でも、いい方法が一つある。それは……火砕流が起こる前から逃げ出してしまうことだ。

活火山、とくに危険な火山は、気象庁が24時間見張っている。秋田県の火山の場合は仙台の管区気象台で、職員が交代しながらいつも真剣に火山を見張っている。火山からくる地震や地殻変動のデータを、昼も夜もそして夜中も、ずっと見ているのである。

噴火の危険がせまってくると、気象庁から警報が出る。こんなときは本当に危険な状態なので、すぐに逃げよう。そのとき、山を見てもたぶんほとんど何も見えない。せいぜい少し煙が出ている程度だろう。でも、地下では今にもマグマが噴火しそうになっているのである。

気象庁から警報が出たら、迷わずに「さっさと逃げよう」。

1991年に雲仙・普賢岳で発生した火砕流（気象庁ホームページより）

あとがき

私たちは地球の上に住んでいる。その地球は、ゆっくりゆっくりとほんの少しずつ動いている（地震や噴火で突然動くこともあるけどね）。でも、ゆっくりすぎて、とても人間の目には見えない。

そのゆっくりとした動きも長い間続くと、大きな変化になる。たとえば、1年で1ミリ大地が盛り上がるとしよう。でも、これが10年続くと1センチ、100年続くと10センチ。100万年続くと……なんと1000メートル！　もう立派な山だね。ほんの少しの動きが、ずっと続くことで、私たちの住む大地は変化していく。大地にはその変化のあとが残っている。大地をよーく見てみると、そのなりたちを読み取ることができる。そこには意外な物語があって、とても楽しい。そんな物語を見つけると、ぼくはついつい他の人に話したくなるのである。

そんなお話を月に一度書いていたのが、秋田さきがけ新報に掲載した「地球の不思議」の連載である。はじめた頃は、1年くらいで題材がなくなって、連載も終わりになるだろうと思っていた。ところが、見つかるんですね、これが。どんどん新しい物語が見つかって、ついには86回（2024年5月現在）も連載をしてしまった。これは大変なようでいて、とても楽しい仕事だった。ぼくの発見した地球の不

日本最南端のカフェ（波照間島）で原稿執筆中の林先生

思議を、何十回も子どもたちに伝えることができるなんてとても幸せな仕事だからね。ちなみに、連載の目標は100回である。

この本を読んだみなさんは、きっと地球の不思議をいっぱい知っているだろう。

そこでお願いがあるんだよね。何かわかるかな？　それは実際にこの本に書かれている場所に行ってその風景を見てほしいということだ。なぜなら、この本を読んだ後だと風景が違って見えるからだ。

「風景が違って見える？？？」と思った人がいると思うのでもう少し説明しよう。もちろん、人間の目に映る風景は本を読んだ前も後も同じだ。全く変わらない。でも、その見え方が違うんだよね。鳥海山の春の景色を例にお話ししよう。

鳥海山はすばらしい姿形をしている。「秋田県民歌」でも「秀麗無比」という歌詞があるくらいだ。鳥海山は春の姿がとびきり美しい。高い山なので、春になってもたくさんの雪がある。その雪が白黒のしましまを作っているのを見たことがあるよね。長い冬が終わり、ついに春が来た喜びが、この風景を見るとさらに倍になったような気がする。

「地球の不思議」を知れば、さらに違う景色が見えてくる鳥海山の「しましま」。

この風景は、もちろんそのまま見てもすばらしい。でも、鳥海山の「地球の不思議」を知っていると景色が違って見える。

この本の52ページの「鳥海山なぜしましま？」でも書いたように、このしましま模様の秘密は、鳥海山の溶岩にある。溶岩の部分は高くなっているので雪が早く溶けて黒くなり、溶岩と溶岩の間の雪が白く見えるのである。では、その溶岩はどうやってできたかというと……噴火の時に流れたものだ。こんな噴火を、鳥海山は60万年の間に何千回もしている。そのたびにでてきた溶岩が積み重なったのが、鳥海山なのである。鳥海山はマグマが何度も出てきて積み重なってできた。その積み重なりが、鳥海山の春の残雪風景を作っているのである。

こんな「地球の不思議」を知ると、鳥海山を見る目が違ってくるよね。人間の寿命の１万倍も噴火し続けた山がそこにある。よくぞ、ここまで大きくなって美しいしましまを見せてくれたと、なんだか感動してしまう。

さあ、この本のどこかの章を読んだら、ぜひそこに行ってみよう。そして自然の中で「地球の不思議」を味わおう！

福徳岡ノ場（89ページ）から漂着した軽石を波照間島のビーチで見つけた林先生

【著者略歴】

林 信太郎

1956年北海道苫小牧市生まれ。火山学者、理学博士、秋田大学名誉教授。1985年から2023年まで秋田大学に勤務し、2014年から2017年まで秋田大学教育文化学部附属小学校校長を兼任する。火山や地球などの巨大な現象をわかりやすく子ども達に伝えるのが得意である

十和田、秋田焼山、秋田駒ケ岳、栗駒山、鳥海山の火山防災協議会火山専門家を務め、鳥海山・飛島ジオパーク、男鹿半島・大潟ジオパーク、八峰白神ジオパークのアドバイザー。秋田県文化財保護審議会委員。2015年には「キッチン火山実験による火山学の啓発普及活動」で日本火山学会賞（第6号）を受賞した。また、著書「世界一おいしい火山の本 – チョコやココアで噴火実験 –」（小峰書店、2006年）は、青少年読書感想文全国コンクールの課題図書（中学校の部）に選ばれた。秋田魁新報社のさきがけこども新聞に「地球の不思議」連載中（毎月第4日曜日掲載）。

※本書は過去の連載をもとに、テーマ別に再構成し、編集したものです

秋田の火山学者・林 信太郎先生が語る

地球の不思議

著　　者　林　信太郎

発 行 日　2024年6月30日　初　版

発 行 人　佐川　博之

発 行 所　株式会社秋田魁新報社

〒010-8601　秋田市山王臨海町1-1

Tel.018-888-1859（企画事業部出版担当）

Fax.018-863-5353

定　　価　1100円（1000円＋税）

印刷・製本　秋田活版印刷株式会社

乱丁、落丁はお取り替えします。

ISBN978-4-87020-438-6　C0044　¥1000E